Quand le diable sortit de la salle de bain

DU MÊME AUTEUR

La cote 400, Éditions Les Allusifs, 2010 ; 10/18, 2013.

Journal d'un recommencement, Notabilia, 2013.

La condition pavillonnaire, Notabilia, 2014 ; J'ai lu, 2015.

Rouvrir le roman, Notabilia, 2017 ; J'ai lu, 2018.

Trois fois la fin du monde, Notabilia, 2018 ; J'ai lu, 2019.

SOPHIE DIVRY

Quand le diable sortit de la salle de bain

Roman improvisé, interruptif et pas sérieux

ROMAN

L'auteure tient à remercier le Centre national du livre
et la région Rhône-Alpes pour leurs aides accordées
à l'écriture de ce roman.

Aux improductifs, aux enfants,
aux affamés, aux rêveurs,
aux mangeurs de nouilles
et aux « défaits »,
je dédie ce livre.

Je est un outil
— si Rimbaud pouvait entendre ça, il dirait : Ah oui, c'est vachement mieux que je est un autre.

Raymond FEDERMAN

Quand vous êtes chômeur, c'est-à-dire mal nourri, ennuyé, assailli de tracas et de misères de toutes sortes, vous n'avez aucune envie de manger sainement.

Ce qu'il vous faut, c'est quelque chose qui ait « un peu de goût ».

George ORWELL

PREMIÈRE PARTIE

Où l'on s'attache aux difficultés économiques
de l'héroïne, qui cherche de quoi manger
tout en essayant de contenir les interventions
intempestives de membres de sa famille et d'amis égoïstes,
d'objets bavards, d'e-mails, coups de téléphone,
et autres tracasseries de la vie moderne.

1

Pendant une certaine période de ma vie, j'ai vu mon revenu divisé par trois et mon appartement passer de quatre-vingts à douze mètres carrés. Pour des raisons que nous verrons plus tard, je n'étais pas malheureuse, mais j'étais pauvre. Or, un matin d'avril, alors que je rentrais de la bibliothèque, une facture de régularisation d'EDF m'attendait dans ma boîte aux lettres. Ces salopards me demandaient 260 euros. Mon compte en banque en contenait 300. En tremblant, je remplis le chèque, le signai, le postai. Puis je me dis qu'il fallait vraiment que je trouve du travail.

Alors je fis ce que tout le monde aurait fait à ma place : j'allumai mon ordinateur.

Sur le site pole-emploi.fr, je tapai mon identifiant, mon code secret et mon code postal pour parvenir sur mon *espace personnel* de chômeuse longue durée. Là, je lançai une recherche multicritères, en commençant par « écrivain public », « journaliste », puis « professeur », cela donna entre zéro et six résultats, aucun sur Lyon, ni sans la mention « Permis B obligatoire » ; mes yeux se brouillaient ; j'élargis ma recherche : « responsable communication », « surveillant d'internat », « secrétaire », « détective privé »... Je n'arrivais plus à lire tant le stress serrait mon ventre, car pendant que le site moulinait pour sortir d'improbables offres, mon cerveau refaisait sans cesse la soustraction : 300 – 260 = 40.

À qui la faute ? Aux ampoules ? Aux plaques de cuisson ? À la bouilloire ? Au chauffe-eau ? À la box ? Mon appartement est tout électrique. Le mois de janvier avait été particulièrement rude. La Saône avait gelé. Le quartier entier s'était figé sous le froid, un brouillard glacial interdisant le moindre mouvement ; seules des fumées blanches s'échappaient des toits, preuve, pour certains, du secours d'un chauffage central, et, dans ce paysage tétanisé, ces fumerolles semblaient comme autant de drapeaux blancs demandant grâce à l'hiver. Quatre mois plus tard, alors que le printemps est censé ramener de la joie au cœur, je fusillai du regard mes convecteurs qui, indifférents à mes difficultés, hibernaient sous la poussière. Salauds de radiateurs. 300 – 260 = 40. Affolé par cette simplissime et répétée soustraction, mon esprit essayait de nier l'évidence du résultat. Il recalculait sans cesse, espérant qu'apparaisse un autre nombre, afin d'éviter la question d'après : comment faire pour tenir dix jours avec quarante euros ?

Comment faire, ou plutôt comment non-faire : non-acheter, non-sortir, non-vouloir, non-métro, non-bus, non-shopping, non-desserts, non-viande, non-bière, non-marché, non-cinqfruitsetlégumesfrais, non-café, non-imprévus, non-nouvelles factures, non-nouvelles charges ?

Ces pensées se refermaient sur moi jusqu'à bloquer mes poumons dans une non-respiration qui m'aurait sans doute amenée à une oui-crise d'angoisse puis à une séance de contemplage de plafond, lorsque mon ordinateur émit un bip qui me fit violemment sursauter.

C'était un mail d'Hector, mon grand ami.

J'avais connu Hector à la fac, nous étions restés liés (ce qui est rare, car j'ai horreur des amitiés qui ne se fondent que sur la commémoration d'un passé commun). Hector était plus intelligent et moins dégourdi que la moyenne. Style cravate à pois sur chemise à carreaux. Brillant saxophoniste, il aurait dû devenir professeur de musique, mais sa santé fragile lui avait fermé la porte du Conservatoire. Il avait été pris d'une crise d'asthme pendant l'examen. Depuis, il souffrait de précariat chronique ; vivotant grâce à quelques cours particuliers, passant de petits boulots mal payés au giron du Pôle emploi, Hector promettait souvent de repasser le concours, sans jamais s'y résoudre. Dernier détail avant de clore cette suspension du récit pour cause de présentation d'un nouveau personnage, Hector avait un tic très particulier qui nous sera utile pour la suite de notre histoire. Soit snobisme, soit instrument de défense contre la dévalorisation de soi qu'entraîne le chômage, soit encore coquetterie surannée en ces temps industriels, mon ami parlait par épithètes antéposées. Malgré ce tic relativement insupportable, et pour des raisons qu'il serait trop long d'expliquer ici, Hector était un indéfectible et attachant compagnon de misère, auquel je soumettais parfois mes angoisses, souvent mes difficultés et toujours mes livres. Comme tout écrivain, j'étais friande de ses commentaires sur mes travaux. Mais les obsessions de mon ami se portaient sur un autre sujet, beaucoup plus croustillant. Car j'étais bien la seule fille de la Croix-Rousse avec qui Hector n'avait pas couché ; ce statut d'extraterritorialité lui permettant de me confier ses exploits. Hector était un des rares chômeurs que je connaisse qui parvenaient à plaire à une ribambelle de filles qui étaient toutes, promis-juré, les femmes de sa vie.

De : Hector_in_the_mouise
Date : 20 avril 2012 16:35:55
À : Sophie_dans_la _dèche
Objet : Salut.

Sais-tu que la belle Belinda, ma charmante voisine, m'a apporté une grosse part de délicieuse tarte aux pommes l'autre jour ? Je croyais que c'était dans la poche (enfin, dans le lit), mais le lendemain je la croise avec un affreux type qu'elle me présente comme son « petit copain », un balourd parisien prénommé Charles-Édouard. Un sale type, je suis dégoûté. Tu vas rire, mais depuis, la jalousie m'a pris. Peut-être parce qu'elle habite au rez-de-chaussée de mon immeuble, j'ai trop pris de retard avec cette fille. Je m'en veux à mort. Je ne pense qu'à elle... Dès mon retour à Lyon, je fais le siège.
Sinon, je me fais nourrir par mes gentils parents. Je fais des croisés mots.
Pour me changer les idées, j'ai lu ton deuxième livre. Pas mal. Je parie que t'es déjà sur un autre. Tu connais mon avis : si tu veux gagner de l'argent, faut quelque chose de gai, facile, du suspense, du sang, du sexe !
À propos de sexe, tu crois que je peux envoyer un ambigu texto à Belinda ? Faudrait pas qu'elle m'oublie, la donzelle... Donne-moi ton avis là-dessus, et surveille

le quartier. Si tu vois son « petit copain » (quelle ridicule expression), envoie-moi un détaillé rapport.

Bises.

Par mesure d'écologie, n'imprimer cet e-mail que si nécessaire.

Je reçus en même temps un mail de mon frère Élie, avec une photo jointe. Sur un bateau de pêche, deux hommes de quarante ans tenaient fièrement un gros poisson mort. « Le poisson pêché est un congre vois l'image jointe je n'ai pas encore pêché un pélamide comme celui du frère de ma copine à Hyères à plus Élie. » J'eus envie de lui envoyer la phrase de Marcel Pagnol : « Se faire photographier avec un poisson, quel manque de dignité ! » Ce qui, accompagné d'un ou deux smileys et de bisous fraternels, fit une réponse rapide.

— Ah ! Pagnol ! crus-je entendre ma mère. Quel homme ! Quelle plume !

Me voilà devant ma fenêtre avec un léger sourire. Les torchères de Feyzin envoyaient dans le ciel plusieurs fumées grasses qui se rassemblaient en une inquiétante nappe noire, lourde comme une mauvaise conscience, et qui planerait sur le moral des citadins toute la journée. Pendant que je contemplais la nasse urbaine, un nœud douloureux se reformait dans mon ventre, me rappelant que j'étais en train de vivre précédemment quelque chose de désagréable. Il y eut un instant de flottement, comme si cette angoisse n'avait pas de cause ; puis, en une fraction de seconde, ma pensée repassa par-dessus la photo du congre, par-dessus le mail d'Hector, et revint, comme mes yeux se détachaient du paysage et revenaient sur l'écran, buter sur la terrible question. Quarante euros et nous sommes le 20 du mois. Comment faire ?

2

— Ah, ma fille ! s'exclamaugréa ma mère, je ne te savais pas si pauvre. Il faut que j'apprenne ça dans tes livres... Si j'avais su, jamais je ne t'aurais laissée partir te consacrer à cette fichue littérature.

Mes placards étaient vides, comme souvent en fin de mois. Le mieux était d'acheter le maximum de denrées et de me barricader dans mon appartement.

— Ton appartement ? continunia maman. Ceci n'est pas un appartement. Un studio, une studinette, une tente, une cabane, un refuge, une chambre, à la rigueur, mais un appartement, non. Dans un appartement, il y aurait des rideaux. Dans un appartement, il y aurait des pots de confitures en haut d'une étagère, il y aurait un programme télé sur une table basse, il y aurait des biscuits apéritifs au cas où des amis te rendraient visite, il y aurait... un service de table ! Je suis sûre que tu n'as pas de quoi recevoir quatre personnes avec un service assorti. Même les jeunes femmes les plus *artistes* achètent ça chez un potier ariégeois : un service de table complet, grandes assiettes, petites assiettes, assiettes à soupe et assiettes à dessert. Quand tu auras un service de table digne de ce nom, tu auras peut-être le droit d'écrire le mot « appartement » !

Lors de ma Grande Révolution, lorsque j'ai subi ma Débâcle, ma Conversion, soit les premiers mois où je devins pauvre, je fis l'erreur d'acheter en fin de mois des chaussures dont j'avais besoin. Je me suis retrouvée bien chaussée, mais affamée. Cette erreur m'avait servi de leçon. La seule priorité qui vaille est la nourriture. Si je remplissais mes placards et ne bougeais pas de chez moi, je pourrais tenir. Et puis, stocker, c'est agir ; agir, c'est lutter ; lutter, c'est rester digne. Je devais aller au supermarché faire le plein de nouilles.

Malgré cette résolution combative, je me rassis devant l'ordinateur. Une angoisse sourde m'empêchait de sortir ; une faiblesse physique, aussi, à l'idée de parcourir les travées du supermarché avec la faim au ventre. Mon désespoir me porta à chercher une distraction. Automatiquement, inéluctablement, involontairement, la page de mon navigateur s'ouvrit sur le jeu en ligne Bubble Shooter. Je me mis à cliquer sur les différentes boules de couleur. Chaque fois que l'une d'elles heurtait deux boules de la même couleur, le trio explosait ; et je sentais dans mon esprit, attelé à cette tâche élémentaire et stupide, une satisfaction répétée à chaque explosion. Mon œil captait l'animation graphique conçue par les inventeurs du jeu, chaque boule se cassait de l'intérieur, un petit son, un nuage qui se dissout, puis le blanc, laissé à la place des boules, qui marquait la progression vers la victoire. Déjà je recliquais pour envoyer une boule jaune vers les boules jaunes, une rouge près des rouges, éprouvant une minirelaxation, détente immédiate et bébête, lorsque je parvenais à faire disparaître un trio, une minicontrariété quand je n'y parvenais pas.

— Ah, ma fille, tu me fais honte. Ça valait bien la peine de faire de si coûteuses études pour se retrouver à s'abrutir devant un ordinateur ! commenta ma maminquiète.

L'activité bubbleshooteristique, qui exige de l'attention mais interdit la pensée, fit se relâcher la morsure d'angoisse infligée par ces salopards rapaces d'EDF. Une heure se passa à jouer. J'étais parvenue à éliminer une couleur, une deuxième, une troisième, et le blanc progressait sur l'écran. Je continuai jusqu'à détruire toutes les boules. Mon score s'afficha au milieu de ravissants feux d'artifice pixélisés. Je me sentais mieux. Évidemment, en un certain sens, j'avais perdu mon temps.

— Oui, articulâcha ma mère, et je ne suis pas fière de toi.

À la radio, un économiste affirmait que les efforts des Français allaient bientôt porter leurs fruits. Le supermarché ne fermait qu'à 20 heures. Je recommençai une partie de Bubble Shooter. Ces jeux sont de secourables ONG cérébraux ; il faudrait mettre sur leur page d'accueil des ex-voto du type « Ici, Mouloud a échappé au suicide. Merci. » ; « Grâce à Bubble, j'ai oublié Fernand. » ; « Ma dépression est finie. Reconnaissance éternelle. Maya. » Ces doudous informatiques se développent sur le stress des salariés harcelés, des femmes abandonnées, des petits vieux esseulés, des allocataires

Cotorep, des adolescents à boutons, des gardiens de nuit célibataires...

— Et des mères délaissées par leurs filles, ajoutacla ma mère.

Encore une fois, encore une fois, encore une fois, je vérifiai mon compte en banque sur Internet. Dans la case crédit, mes innocents 300 euros s'affichaient, en route vers l'EDFique amputation. Mais, avant que l'écran ne se fige sur cette somme, il y avait trois secondes où, ayant entré mes mots de passe, je devais attendre que la page de *synthèse des comptes* se charge, et, vu la lourdeur des informations et les procédures de sécurité internes au site, ces trois secondes d'attente devenaient irrationnelles, astronomiques, gnosiques, transsidérales, trois secondes d'espoir, trois secondes où je pouvais croire à un bouleversement dans l'ordre des choses. Hélas, non. C'était toujours la même déception. Déception multiprévisible car, par-dessus le marché, le service de banque en ligne n'est actualisé qu'une fois par jour ; je le savais très bien. La contrainte du réel me retomba sur la tête comme une pile d'assiettes vides.

— Ça suffit ! intervindica ma mère. Va faire les courses, puisque tu en as besoin. Et réfléchis bien à ce que tu achètes. Surtout, pas de folie. Je te surveille !

3

Ce n'est pas difficile de reconnaître les pauvres au supermarché. Ce sont ceux qui ont une liste à la main et ne s'en écartent pas. Ceux qui vérifient les prix manquants à la lectrice de codes-barres. Ceux qui se dandinent d'un pied sur l'autre devant les rayons. Ceux qui restent longtemps devant les pléthoriques étalages de yaourts, comparant les prix au kilo, prix à l'unité, prix à la douzaine, espérant faire le choix le plus judicieux entre le bas de gamme, peu nourrissant, et les produits meilleurs mais plus chers. Une pétasse me bouscule. Elle met dans son caddie les tiramisus au spéculoos. Haine. Convoitise. Déprime. Les haut-parleurs diffusent, ô surprise, de la musique de supermarché. Je quitte les yaourts ; direction rayon pâtes et riz ; rayon sauces tomate ; rayon boîtes de raviolis.

Ce qui m'afflige et me nuit (et conspire à me nuire), c'est qu'à chaque produit mis dans mon panier, mon budget se réduise. J'aimerais tant qu'il y ait une erreur de caisse ou une coupure d'électricité, une suspension de la logique ordinaire qui veut qu'on-paye-ce-qu'on-achète-au-prix-que-ça-coûte.

— Le monde ne peut pas se plier à tes volontés, arguasoupit ma mère.

Les travées sont longues, les produits innombrables, les mots imprimés sur les emballages me sautent au visage et me fatiguent. Il est temps de m'échapper. J'avais besoin de dentifrice, tant pis. À la caisse, dans ce moment d'attente particulièrement inconfortable, je regarde mon caddie : semoule, pâtes, riz, sauce tomate, purée en flocons, lait, yaourt nature, beurre, café, toutes ces denrées allaient vite être englouties par mon estomac. J'en ai pour 22,30. Je paye par carte bancaire, le moral brisé. Bientôt, je le sais, je rêverai que mon frigidaire devient une corne d'abondance qui, comme par enchantement, se remplit de produits luxueux que je dévore le matin au réveil...

— Tu es en pleine négation de la réalité. C'est ton côté artiste. Toute petite déjà tu avais du mal à accepter les contraintes du réel.

Mais qu'est-ce que la réalité ?

L'argent, n'est-ce pas une fiction ? L'arithmétique, n'est-ce pas une invention collective ? La seule réalité qui compte, je vais vous le dire (elle va vous le dire) : c'est la réalité stomacale. Tous les humains, depuis des millénaires, ont dû se remplir l'estomac. C'est l'unique réalité qui ne sera pas suspendue par une révolution, un changement de saison ou un bisou magique. Mon estomac est-il vide ou plein ? C'est la base de tout. Car on ne pourra jamais cuire une soupe à la fatigue, ni boire un consommé d'amitié. Il faut manger ce qui est comestible, sans ça, pas d'amour, pas de guerre, pas de fondation de Parti communiste ni de week-ends d'intégration HEC. (Fin de la déclaration.)

Une fois les courses rangées dans mon studio, je sentis un léger mieux. Le monde était hostile, mais moi, avec mes nouilles au kilo, j'avais une armure. Et puis j'étais touchée par ma propre situation ; n'étais-je pas une brave fille ? N'avais-je pas payé honnêtement mon dû ? On ne pouvait rien me reprocher. Je payais mes factures. Je mangeais pauvrement. Oui, j'étais courageuse. La dèche déclenche souvent de l'orgueil – et je pense que tous ceux qui ont connu ça me comprennent – puisqu'on est capable de ne rien manger ou presque, on se croit au-dessus des autres, comme si la misère développait chez ses victimes une fierté idiote, mais nécessaire pour se battre contre elle.

Je sirotais une soupe lyophilisée accompagnée de biscottes quand le téléphone sonna.

— Bonjour. Claude Joubert, de votre agence Bouygues Telecom. J'ai une offre exceptionnelle à vous faire sur les abonnements Internet...

— Je vous arrête tout de suite, ça ne m'intéresse pas.

— Je peux vous demander pourquoi, madame ? C'est vraiment une offre exceptionnelle. Le premier prix du forfait est à quatorze euros quatre-vingt-dix... [*Sourire obligatoire d'elle. Soupir énervé de moi.*]

— J'ai déjà ce qu'il faut.

— Vous payez combien ? Je suis sûre que notre offre actuelle est plus intéressante...

— Je n'ai pas d'argent.

— Justement, madame, vous ne voulez pas payer moins cher ?

— Non, je ne veux pas changer, je n'ai pas que ça à faire.

— Avec Bouygues Telecom, la solution est facile, vous gardez votre numéro.

[*Ton mielleux d'elle. Rapide montage de moutarde au nez de moi.*]

— Non, là, j'étais en train de manger.

— Je peux vous rappeler plus tard, si vous me donnez une tranche horaire.

— Non, je n'ai besoin de rien.

— Vous ne voulez pas payer moins cher ? C'est bien dommage pour vous, madame. [*Débit plus rapide chez elle. Envie d'insultage chez moi.*] Je vous propose de payer moins cher votre abonnement téléphonique. Cela vaut la peine d'y penser, vous ne croyez pas ?

— Je voudrais raccrocher, maintenant.

— Très bien. Je suis désolée pour vous, madame. C'est tout de même dommage de ne pas vouloir payer moins cher… Enfin, bonne soirée de la part de Bouygues Telecom.

— Sale conne, dis-je en raccrochant le combiné.

Dans la catégorie des pires boulots du monde, téléprospecteur peut concourir pour la palme interplanétaire ; c'est *le* métier de l'inutilité et de l'emmerdement de son prochain joint à la pollution sonore et à la déformation du langage par la communication ; je me demande dans quel cerveau de casse-couilles congénital ou de commercial péteux est née cette idée de vendre des services par téléphone en bafouant les règles les plus élémentaires de la politesse qui consiste à ne pas déranger les gens.

— Certes, s'interpolissa ma mère. Mais pas de gros mots, s'il te plaît. La vulgarité n'apporte rien. Depuis le début, j'ai noté « salopards », « salauds », « pétasse », et là « sale conne », « casse-couilles », « emmerdement »... Cela me déplaît. Ce n'est pas comme ça que je t'ai appris à parler, ma fille.

La vaisselle de mon repas fut vite expédiée. Une tristesse propre et sèche m'accabla. À la radio, un homme politique disait vouloir réindustrialiser la France. Combien de temps encore à me débattre dans ce monde emmuré ?

Enfin, je me couchai, mais sans parvenir à dormir. J'avais dépensé 22,30 euros au supermarché. Il me restait donc 17,70 euros. *A priori* je n'avais pas besoin de les dépenser autrement que pour du pain. J'avais donc un peu de large. Le problème était que si je retirais 20 euros dans un distributeur, je me mettrais à découvert. Je me relevai et fouillai mon porte-monnaie. Une pièce de deux euros. De quoi acheter du pain deux fois. Ça devrait aller, je n'allais pas mourir de faim...

— Calme-toi, ma fille. Tu as de quoi manger. Dors, maintenant.

J'aurais bien voulu dormir. Mais mon cerveau n'arrêtait pas de revenir sur ces dix-sept euros soixante-dix. Car ce long animal mou, cruel, collant, dégueulasse, que j'appelle par défaut la *nécessité*, la dèche, la débine, la mistoufle, la misère, la mouise, la scoumoune aux grands crocs ; cette bête a pour premier effet, avant même toutes les conséquences physiques, vestimentaires ou alimentaires, de vous claquemurer dans vos soucis. C'est la règle du mini. C'est le règne du petit. Il est remarquable comment une somme si modeste – *17,70 euros – 17,70.17,70. 17,70, 17,70, 17,70. 17,70. 17,70. Ça devrait suffire 17,70. 17,70. 17,70, 17,70, 17,* peut vous remplir le crâne, *70. 17,70. Je vais tenir bon 17,70. 17,70. 17,70*. Car la dèche a pour premier effet de vous enfermer en vous-même, de vous détenir dans vos misérables dilemmes, vous enclore dans vos carencées méditations, vous contenir dans vos stressées spéculations, vous limiter dans votre conscience affamée, vous emmurer dans votre moral pressurisé, vous cloisonner dans vos soucis économiques, vous ligoter dans votre détresse physique, vous verrouiller dans vos futiles suppositions, vous confiner dans vos impossibles projections, vous cadenasser dans votre pouilleuse infortune, vous claustrer dans vos perpétuelles lacunes, vous coffrer dans vos misérables opérations, vous emprisonner dans vos sévères punitions, vous cloîtrer dans vos salariales insuffisances, vous empêtrer dans votre ridicule impuissance, vous maintenir dans vos stomacales obsessions, vous barricader dans vos restreintes réflexions, vous boucler dans vos cauchemars bancaires, vous claquemurer dans vos songes pécuniaires, vous enterrer dans vos perpétuelles privations, vous menotter dans vos quotidiennes réductions, vous ceindre dans vos sentiments calamiteux, vous séquestrer dans vos raisonnements miséreux, vous fixer sur vos irréversibles mensualisations, vous museler en vos substantielles mutilations, vous ligaturer dans vos matériels emmerdements, vous incarcérer dans vos pauvres jugements… On ne pense qu'à ça, et en même temps on ne peut pas *penser*. La moindre idée, à peine elle s'élève, déclenche des propositions hors de vos moyens. On ne s'en rend pas compte d'ordinaire, mais toute initiative finit par engendrer une dépense. Partir pour une promenade, c'est accroître la faim. Voir des amis, c'est risquer une proposition pour une bière. Ce sont pourtant les gens fauchés qui ont le plus besoin de divertissement. Par instinct de révolte, on se dit : tant qu'à être chômeur, soyons joyeux... Mais c'est trop tard. *17,70. 17,70. 17,70. 17,70, 17,70, 17,70. 17,70. Vivement le début du mois. 17,70. 17,70, 17,70, 17,70. 17,70. 17,70. Surtout pas de nouvelles factures. 17,70, 17,70. 17,70. 17,70. 17,70.* Au-delà de cette somme, c'était ma situation globale qui m'inquiétait. Lorsque j'avais quitté mon travail, j'avais touché de l'argent, je me croyais tranquille. Les années avaient passé. Du chômage, j'étais tombée aux minima sociaux. Il était loin, le temps de l'insouciance.

4

Dans mon enfance, le souci de la faim n'apparaissait pas. J'avais six frères, Martial, Gaston, Virgile, Kazan, Élie et Tom. Nous vivions comme dans un château entouré d'un vaste parc, nous courions à travers des prés pleins de chevaux sauvages, nous pêchions à la main des salamandres, nous gambadions dans les foins, nous construisions des cabanes d'Indiens, nous jouions à de grandes chasses au trésor, nous rentrions le soir les genoux écorchés, ramenant de hauts bouquets de fleurs que notre mère disposait sur le buffet du salon avant de nous servir un chocolat chaud.

C'est du moins ainsi que je me rappelle mon enfance. Mon père aimait ma mère, ma mère aimait mon père, nos parents nous aimaient. Papa était le plus fort ; maman, la plus belle maman du monde. Jamais je ne l'ai vue perdre patience en nous habillant, nous lavant, nous nourrissant, nous embrassant le soir au coucher, retirant un jouet de nos mains et disant : « Il est tard, il faut dormir. » Personne ne m'a battue, personne ne m'a touchée. Les adultes m'ont encouragée, j'étais applaudie à chacune de mes découvertes, récompensée de mes efforts. Plus tard, j'ai pris des TGV, j'ai cherché une mutuelle pas trop chère et j'ai perdu la foi. Mais dans mon enfance, pas de factures et pas de solitude ; la tribu que je formais avec mes frères, éparpillée la journée entre l'école, les chambres et le parc, se retrouvait au dîner comme les grains sur la colline viennent se fondre au même pain, ainsi que nous le chantions le dimanche à la messe.

Le souci de la faim n'apparaissait pas. Le mot même de *souci* n'a longtemps pas eu de sens. Nous étions une famille heureuse, qui célébrait son bonheur régulièrement. Mes parents respectaient tous les rites, Noël et les sept anniversaires. À Pâques, nous cherchions des œufs. À la Chandeleur, nous mangions des crêpes.

J'adorais la Chandeleur. Ma mère préparait la pâte à crêpes pendant la journée. Pour signifier que nous passions à table, elle ôtait le torchon qui couvrait le saladier en bois. Elle plongeait une louche dedans et versait une épaisse langue de pâte beige dans la poêle huilée. Par une souple rotation du poignet, tel Dieu créant les astres, elle transformait la coulée en un cercle harmonieux qui déjà se solidifiait sur les bords. Auprès d'elle sautillait un de ses sept enfants, puisque nous étions exceptionnellement autorisés à nous lever de table, et qu'en admirant le geste de notre mère, et celui, identique, de notre père posté devant une autre poêle, nous voulions les imiter, ce qui nous était permis à partir du moment où chacun avait mangé au moins deux crêpes ; je me rappelle ces scènes-là ; maman et papa debout, faisant sauter les crêpes sous nos cris de joie, les garnissant généreusement et les glissant dans nos assiettes, respectant un ordre parfaitement équitable et parfaitement invisible, que nous essayions de fausser avec nos « moi d'abord ! », jusqu'au moment où la satiété nous rendait la politesse. Je crois que ce qui me plaisait tant, moi qui ai gardé de cette longue imprégnation dans la vie collective un amour pour le désordre (du moins, un penchant à voir dans l'excès d'ordre une cause de tristesse et dans le désordre une source de vie), c'était le décalage avec lequel nous mangions. Finie l'ennuyeuse succession entrée-plat-dessert. À peine avais-je terminé mon assiette qu'un de mes frères attaquait la sienne ; la toile cirée était tachée de fromage râpé et de jaunes d'œuf, et rien ne semblait pouvoir arrêter cette noria de crêpes vers les estomacs. Nous finissions avec la cérémonie des crêpes flambées. Neuf galettes au sucre étaient roulées dans une grande assiette creuse. Mon père remplissait une louche de rhum ; il la posait sur le gaz ; je me précipitais contre ses jambes pour cet instant où, la louche maintenue à quelques centimètres de hauteur, il approchait un briquet du rhum échauffé : mon père grattait la pierre. Bondissait alors dans la louche une haute flamme d'un bleu vorace. Ma mère, postée près de l'interrupteur, avait éteint la lumière. L'obscurité se faisait, un silence aussi. La grande flamme semblait léviter dans la pièce. Je voyais l'ombre de mon père d'un geste répandre le feu dans l'assiette. Ma voix se mêlait aux murmures de contentement en regardant la flamme se jeter sur les crêpes en languettes avides. S'exhalait une odeur enivrante de chaleur et de sucre, tandis que nous regardions les flammèches lécher les dernières crénelures. L'alcool consumé, le feu s'éteignait. L'obscurité était un instant totale. Quand la lumière revenait, j'avais l'impression de sortir d'un rituel primitif ou religieux, le rôle des grands prêtres ayant été tenu par mes parents. Ils nous servaient une crêpe succulente, réchauffée par l'alcool, par la communion d'une famille qui mange, le soir, réunie. Je m'endormais très vite, ces soirs-là.

5

J'avais six frères, Martial, Gaston, Virgile, Kazan, Élie et Tom. Mon père avait beau travailler comme cadre dans une lointaine entreprise d'où il rentrait très fatigué (certains soirs, maman et lui échangeaient beaucoup de phrases dont la plupart m'étaient incompréhensibles, qui devaient se rapporter à la gestion du foyer), la maison n'était pas grande au point d'avoir sept chambres. Aucun de nous ne dormait seul. Selon les années, selon la demande, mon père bravement déplaçait les lits superposés. J'aimais le voir, héros soufflant et suant, sans avoir l'air de forcer, de ses grands bras réaménager les chambres à notre désir. Je me glissais sur le lit du haut, et, la lampe de chevet éteinte, il n'était pas rare que je m'endorme au milieu d'une phrase venant d'un de mes frères. Les garçons étaient habillés avec des vêtements des uns et des autres, cette habitude faisant d'eux comme une seule personne qu'on aurait pu voir simultanément à plusieurs âges de la vie. Chacun avait son caractère. Tom était doux ; Élie, savant ; Kazan, ronchon ; Virgile, musicien ; Gaston, comédien ; Martial était un chef. L'aîné nous servait de bureau des pleurs en cas d'absence de nos parents. Il réglait les petits litiges. Il nous transmettait tout, comment monter une canne à pêche, comment fabriquer un arc et des flèches, comment cuire des chamalows. Je ne me suis rendu compte que bien plus tard, en voyant les enfants des autres, à quel point Martial m'avait aimée. Il prenait garde qu'aux repas je ne sois pas moins servie que les autres, il me donnait raison dans les disputes qui m'opposaient à Tom. Lui, le petit dernier, avait aussi des privilèges. Kazan et Élie l'emmenaient partout, formant à eux trois un groupe indépendant. La fratrie se structurant souvent avec Martial comme soleil, près de lui deux planètes rocheuses, Gaston et Virgile, puis le trio gazeux des benjamins ; enfin moi, la seule fille, libre satellite en orbite autour de chacun. Cet équilibre galactique pouvait se rompre si Tom et moi faisions bande à part ; on nous appelait alors les « petits », ce qui avait le don de nous agacer, et nous nous refondions vite dans la galaxie fraternelle, heureux de n'être jamais exclus du groupe, dans notre infini besoin de tendresse et d'apprentissage.

Comme nous étions sept à nous disputer l'affection de nos parents, ceux-ci avaient fini par attribuer à chacun un jour de la semaine. J'avais hérité du dimanche auprès de ma mère, ce qu'aucun de mes frères n'aurait accepté pour un autre garçon. Quand j'avais du chagrin, je restais sur ses genoux, quelques baisers et je repartais gambader avec les autres. L'appel du groupe était plus fort.

Nous connaissons tous un conte qui commence ainsi : Sur son lit de mort, un père fait trois parts d'héritage pour ses trois fils. L'un doit se consacrer à Dieu, un deuxième au roi, le dernier au commerce. Ils se quittent – ils *font leur vie*, dit-on aujourd'hui. Ils se retrouvent vingt ans plus tard, dans des circonstances dramatiques qui donnent lieu à de longues effusions. Ce partage définitif m'a longtemps paru triste, par la distance qu'il marque entre des vies jusque-là rassemblées. Mais qui dit que le frère ayant choisi le commerce l'ait fait seulement parce que les plus nobles carrières étaient prises ? Il aurait pu suivre son frère dans l'armée. Mais cela n'aurait pas eu de sens. Les deux autres ne l'empêchent aucunement de servir l'Église ou le roi : ils le font à sa place. Chacun met au pot commun la vie qui lui a échu, et qui, du coup, est épargnée à l'autre. Les autres sont tout ce que nous pourrions être, nos possibles plus encore que nos semblables. Étant la dernière de la famille, j'ai vécu par avance toutes les vies qu'ont bâties mes frères, ils sont chacun une part de moi-même. Si je suis l'affamée de la famille, je le suis pour eux tous, tant j'ai longtemps voulu croire que nous formions à nous sept l'humanité tout entière.

Mais aujourd'hui, si j'avais six frères – Tom, Élie, Kazan, Virgile, Gaston et Martial devenus greffier, médecin légiste, employé des Postes en CDD, arboriculteur, formateur pour adultes et chef d'entreprise dans le sanitaire –, il fallait l'admettre, nous étions bel et bien séparés. J'étais seule avec mes 17,70 euros. Ma souffrance ne leur apportait rien. Leurs succès ne m'aidaient pas. Il fallait l'admettre, chacun avait *fait sa vie* – expression qui m'a toujours paru moralement louche, car *faire sa vie* revient peu ou prou à trouver du travail, se marier, devenir propriétaire, s'acheter une voiture, ne plus demander de l'argent à ses parents, avoir un frigidaire plein. Je *fais ma vie,* donc je ne demande plus rien à personne. Qu'est-ce que *défaire* sa vie, sinon ne pas pouvoir partir en vacances, divorcer, chômer, émigrer, avoir besoin des Assedics ou de soutien moral ? Quand on a besoin des autres, c'est qu'on n'a pas *fait sa vie*.

6

Commencèrent alors des journées difficiles. Je mangeais des pâtes au parmesan, un yaourt confituré, du pain. Un risotto au bouillon-cube, une tranche de jambon, une banane. Une courgette à la poêle, du riz, une poire. Une boîte de cassoulet, deux yaourts. De la purée lyophilisée. Une soupe en sachet, un œuf. Trois cents grammes de coquillettes à l'huile. Deux cent cinquante grammes de spaghettis. Huit tartines au beurre. Un yaourt.

J'avais collé des affichettes dans plusieurs commerces :

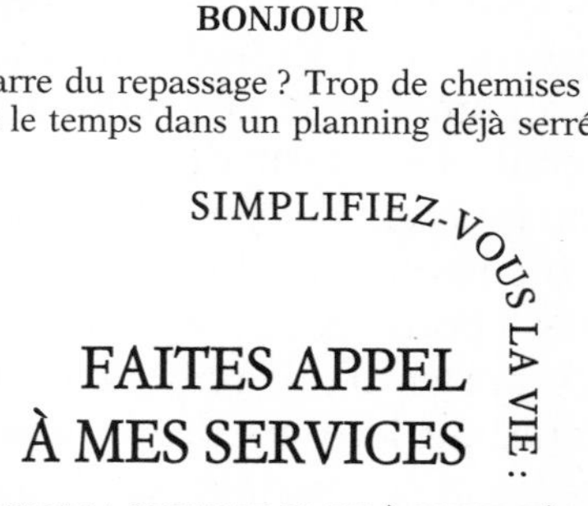
BONJOUR
Marre du repassage ? Trop de chemises ?
Pas le temps dans un planning déjà serré ?
SIMPLIFIEZ-VOUS LA VIE :
FAITES APPEL
À MES SERVICES
10 EUROS LA CORBEILLE DE DIX À QUINZE PIÈCES
Sophie 06 66 69 6d 66
Sophie 06 66 69 6d 66
Sophie 06 66 69 6d 66
Sophie 06 66 69 6d 66
Sophie 06 66 69 6d 66
Sophie 06 66 69 6d 66
Sophie 06 66 69 6d 66
Sophie 06 66 69 6d 66
Sophie 06 66 69 6d 66
Sophie 06 66 69 6d 66

Ce n'est pas parce qu'on est pauvre qu'on perd la notion des hiérarchies sociales, et malgré le bon accueil des boulangers, je me sentais humiliée d'avoir à quémander du travail comme femme de ménage. Je le fis un matin où, malgré ma faiblesse physique, j'avais du courage. Confectionner ces affichettes m'avait amusée. Les épingler dans les devantures me brisa le moral. Les rues étaient inondées de soleil. Je n'avais pas envie de rentrer chez moi. Alors, avec la sensation de commettre un immense péché, je m'assis à la terrasse du snack-bar voisin et commandai un expresso.

— Il ne faut jamais boire un café l'estomac vide, ma fille !

Les riches ne comprennent pas pourquoi les pauvres font de mauvais choix ; pourquoi certains en viennent à s'alcooliser plutôt que de s'acheter de la viande avec de patientes économies. Mais les riches n'ont pas besoin de desserrer l'étau qui les étouffe. Leur problème à eux, c'est de se mettre des limites. Quand on n'a pas d'argent, les limites au contraire ne vous lâchent jamais ; on passe son temps à compter, le nez dans un misérable porte-monnaie. Le plaisir du pauvre consiste à s'extraire un moment de cette pression. Ce seront dépenses inconsidérées, de minuscules mais incoercibles coquetteries, et quand s'ouvrent grandes les portes d'un irénique irrationnel, il s'agit de jouer au loto, perdre la tête, faire une folie. Les riches ne manquent pas de distractions ; ils ont un emploi du temps, des enfants, un travail, pas une minute à perdre. Déguster un café, quand on est chômeur, cela devient une occupation précieuse. Dans un bar, on peut lire le journal, écouter les conversations, regarder travailler les serveurs, suivre la moitié audible d'une dispute au téléphone portable... et se sentir, par ces saynètes, participer à un corps social vivant. Le snack où je m'étais réfugiée m'apporta cette sociabilité ordinaire, celle qui manque tant aux détenus au fond de leur cellule. Et tant pis si, avec un euro cinquante, j'aurais pu m'acheter du pain, un de ces bons pains denses qui nourrissent bien, un kilo de pommes, les faire mijoter en compote – pour tenir le coup, rien de mieux que du pain complet et une compote de pommes – mais manger du pain et de la compote pendant huit jours, voilà justement ce qu'on ne peut pas faire, quand on est pauvre, sans craquer pour une barquette de frites, une glace, quelque chose qui vous donne l'impression de vivre un peu plus. Au supermarché, ma convoitise me portait vers les liégeois chimiques, chocolats aux noisettes et hachis parmentier. C'étaient de ces repas-là, écœurants et surgras, que j'avais envie. Non qu'ils soient plus nourrissants, ni même luxueux, mais ces produits industriels sont bien *meilleurs*, ont bien plus de *goût* qu'un raisonnable et maigre repas. Tous les pauvres ont leurs péchés, si dérisoires soient-ils ; on peut le leur reprocher, mais la dignité de l'homme ne se loge-t-elle pas dans ce qui est inutile, la joliesse, le rire, la conversation, les dessins d'enfants et les petits cafés au bar ?

Ma tasse était vide lorsque Hector m'apprit par texto que Belinda répondait très favorablement à ses « ambigus SMS ». Mon ami me demanda si l'affreux petit copain était toujours dans les parages. Je textotai en retour que le Charles-Édouard en question était invisible, sans doute rentré à Paris. Hector pouvait continuer sa cour… Hélas, cet échange ne me prit que quelques minutes.

J'aurais tant aimé être un personnage de film. J'aurais donné cette *tranche* de ma vie à un réalisateur. Avec ses ciseaux magiques, il aurait élaboré une séquence en plusieurs plans où les spectateurs auraient vu, mises bout à bout, toutes les facettes de mon quotidien. Moi mangeant des pâtes. Moi lisant dans mon lit. Moi traînant dans les jardins publics. Extérieur jour : je colle des affichettes. Intérieur nuit : je consulte mon compte en banque. Par-dessus ce montage, le cinéaste aurait mis de la musique, et, en une trentaine de secondes, les spectateurs auraient vu, senti, compris, toute la difficulté de mon existence. Nous aurions retrouvé le rythme normal du film, le véritable fil de la narration, à l'occasion d'un événement précis venant changer le cours des choses, un événement qui précipite le personnage dans une aventure particulière, qui retient l'attention et sur lequel l'accent est mis. Tout serait passé si vite, j'aurais bien moins souffert. Mais aucun de nous n'est un personnage de fiction. Moi, dans ce snack, je ne sais pas si un jour cet événement surviendra ; en attendant, réellement pauvre, je suis obligée de vivre dans ces journées de dèche qui s'écoulent platement, matinalement, vespéralement, nuitamment et diurnement, impitoyablement et logiquement, petitement et inexorablement. Dans la vraie vie, celle des digicodes et des insomnies, il n'y a jamais de séquences en accéléré.

7

Que le temps passe lentement quand on n'a pas d'argent. J'étais toujours au café. Évidemment, j'étais seule. *Seule dans la vie*, je veux dire. Ça n'avait rien d'exceptionnel. La majorité des miséreux que je connais sont seuls. Même Hector, que je surnommais Monsieur Kékette, vivait sa sexualité davantage sous forme, comment dire, de tickets à l'unité plutôt que d'abonnement annuel. Quand un fauché parvient à se mettre véritablement en couple, cela laisse augurer une première montée dans l'échelle sociale. A lieu une transformation physique, le teint devient plus rose, le sourire réapparaît, quelque chose de dynamique rétablit son corps, une force qui n'est plus de l'ordre de la contrainte, mais du désir. Tandis que je songeais à cela, mon regard fut attiré par un verre en plastique qui, petite tache blanche dans le gris de la rue, courait le long du caniveau, emporté par l'eau jaillie d'une pompe. Les soubresauts du gobelet tressautant dans le flot avaient quelque chose de gai. Ils firent naître un souvenir, celui du village de mon enfance, Sullac. Là-bas, les trottoirs étaient doublés d'une profonde rigole en permanence irriguée par des ruisseaux de montagne. Le jeu consistait avec mes frères à y lancer un bateau de papier, puis à le suivre en courant le long des rues. Le souvenir s'arrêta là, une tristesse sourde me décourageant de remonter plus loin dans ma mémoire. Penser à ces temps heureux rendait plus pénible, par contraste, le temps mou, inutile, de cette matinée humiliante. L'idée me vint de nettoyer une chaussure crottée dans ce courant d'eau. Soutenue par l'utilité de cet acte, je parvins à me lever et à sortir du snack-bar. Je nettoyai ma chaussure. Comme mon corps s'était mis en mouvement, mon esprit sortit de son immobilité et se rechargea de quelque volonté. Je repensai à cette exposition gratuite que je m'étais promis d'aller voir. Peut-être pouvais-je proposer une pige à ce sujet. Mais, en remontant les rues, je sentis la malnutrition commencer son travail de sape. À quoi bon ? La pige serait refusée, au pire trappée, comme tant d'autres auparavant. Je me traînai. Digicode. Escaliers. Clefs. Sans enlever ma veste, je tapai sur le clavier pour rallumer l'écran. Aucun nouveau mail ne s'affichait dans ma boîte aux lettres. Je consultai mon téléphone : aucun texto. À la radio, un patron se plaignait du coût du travail.

Ce n'était pas une si mauvaise idée, finalement, de proposer cette pige. Je cherchai l'adresse mail du rédacteur en chef, vérifiai le branchement de ma souris, mais déjà j'avais cliqué sur un onglet de mon navigateur. Me revoilà sur mon compte en banque. Le montant apparaît, c'est le même depuis une semaine : 17,70 euros. Nous sommes le 28. Mes yeux me rentrent dans le crâne. Peut-on retirer seulement 10 euros à un distributeur ? « Faut que j'aille vérifier à la Poste », me dis-je. Après un immense effort, j'adressai un courriel au rédacteur en chef d'un journal à propos de cette exposition gratuite. Contente de cette action qui restaurait une ancienne dignité professionnelle (comparativement à faire du repassage), je regardai la météo pour vérifier qu'il faisait doux, en effet, pour la saison.

Évidemment, personne ne répondrait à ce mail. Mais, pour l'heure, je ne le savais pas. Pour l'heure, il était midi et j'avais faim. Mon frigo était vide. Je pouvais toujours remplir mon estomac de nouilles à l'huile, mais j'avais une faim plus profonde et plus insatiable, une faim de fierté, acérée, une faim ambitieuse et dévorante, une faim existentielle et terrifiante, une faim de viande en sauce et d'île flottante, une faim de travail, une faim de rôti de porc aux pruneaux, une faim de velouté potimarron-châtaigne, une faim de merguez grillées, de journées bien remplies, de grandes tablées bruyantes, une faim de nuits réparatrices, une faim de déchirer la gangue économique et la morosité sociale, une faim de joyeux camarades ; une faim de projets, de rires, d'e-mails dans ma boîte, de poires juteuses, de coups de téléphone délirants, de destruction des contraintes ; j'avais faim d'un festin sur les ruines du monde passé, faim de voir l'avenir s'ouvrir, mon appartement s'agrandir, faim d'une razzia dans une pâtisserie, faim d'un vin rouge puissant, coloré, rond, chaud, tannique, un vin qui envahit le palais et fait tourner la tête, et j'avais faim d'amour, faim d'un homme qui m'enverrait des textos quand je n'irais pas bien, faim de consolation, faim d'air impollué et clair, faim de reconnaissance, j'avais faim d'avoir accès à ce que j'imaginais alors comme la vie enfin ; la vie tout entière – celle dont j'avais aperçu l'ombre quelques années auparavant, mais ma Grande Rupture l'avait pour longtemps (et peut-être pour toujours) remisée loin de moi.

8

Arriva le vendredi soir, le moment où tout le monde sort brûler sa semaine. La circulation, qui assaille les rues à la sortie des écoles, dès dix-neuf heures se fait plus légère, comme si la ville prenait une large inspiration avant d'entrer dans la nuit. Le soleil s'est couché, un second vendredi débute, s'arrachant au premier, poussant la semaine et s'écriant : « Halte aux cadences, sus aux patrons, mort aux fâcheux, couchée la marmaille ! Ce n'est plus l'heure de décider, ni de produire, ni de servir, de s'imposer ou de subir ; c'est l'heure de s'amuser ! » En entendant son cri, tout change. On se douche ; on dénoue sa cravate ; on se fait belle ; des chaussures à talons tombent sur la moquette tandis que des milliers de canettes perdent leur capsule. Des boulevards sort un immense soupir, bientôt suivi d'un bruissement sonore, car tous les sentiments comprimés en nous, toutes ces choses que nous avons dû réprimer – mouvements des jambes, bras, poumons, pulsion du sexe, mais aussi rire, loisirs, excès, envies, ragots, humour, repos, insultes, joies – enfin se répandent à travers la ville. Ce sont des étudiants qui se poursuivent, ils ont acheté des bouteilles à l'épicerie du coin, ils vont les boire chez un copain ; ce sont des couples habillés chic qui garent leur voiture en bas de chez moi, quelqu'un a fait la cuisine pour eux toute l'après-midi ; ce sont des familles qui mangent des pizzas, des amis regardant un match de foot ; ce sont des lycéens demandant l'autorisation de dormir avec leur copine ; c'est de la musique qui sort des fenêtres en touffe, comme des fleurs viennent vous chatouiller le nez ; ce sont des scooters qui prennent les sens interdits sans casque, et les flics qui les poursuivent ; ce sont les sirènes, la foule, les cris.

What a surprise and what a pity, je ne suis invitée nulle part. Toute la semaine j'ai contenu ma misère en tenant le porte-monnaie par les deux bouts. Je suis restée chez moi, j'ai mangé des nouilles. Excepté l'expresso au snack, pas une seule dépense inconsidérée. N'ai-je pas le droit de m'amuser, moi aussi, après tant d'efforts ? Non, la pauvreté est une punition. Je n'ai que mon ordinateur pour me distraire. Qu'à cela ne tienne. Il paraît que nous ne sommes jamais qu'à sept poignées de main du pape ; de même, nous ne sommes qu'à trois clics d'un site porno. Il suffit d'une recherche avec un mot à double sens, d'un lien promotionnel déguisé, de suivre la pub, et sans crier gare s'affiche sur mon écran une paire de fesses en train de se faire défoncer par une grosse bite (Désolée, maman, mais c'est bien ça). Une fenêtre de dialogue s'ouvre pour un « tchat coquin ». La personne en ligne, rose1118, est censée avoir dix-huit ans.

(o)(o) **rose1118 : Hello, tu es là ?**

8==> Moi : Me cherchiez-vous, madame ?

(o)(o) **rose1118 : Tu me plais bien.**

8==> Moi : Un espoir si charmant me serait-il permis ?

(o)(o) **rose1118 : On pourrait se voir si tu es prai de Grenoble.**

8==> Moi : Je suis à Lyon, vous ne savez pas ?
Mais vous ne savez rien !

(o)(o) **rose1118 : J'adore les mecs un peu coquins.**

8==> Moi : Peux-tu préciser cette si surprenante pensée ?

(o)(o) **rose1118 : J'ai fé des photos un peu sexy chez moi, normalement tu peux les voir sur mon profil :)**

8==> Moi : Tu n'as jamais été, dans tes jours les plus rares

(o)(o) **rose1118 : T'as une webcam ?**

8==> Moi : Qu'un banal instrument sous mon archet vainqueur

(o)(o) **rose1118 : Montre-moi des photos de toi aussi ! :)**

8==> Moi : Et, comme un air qui sonne au bois creux
des guitares

(o)(o) **rose1118 : J'ai envie d'un mec tout de suite !**

8==> Moi : J'ai fait chanter mon rêve au vide de ton cœur.

(o)(o) **rose1118 : Je suis sûre que tu dirais pas nan pour un plan cul !**

8==> Moi : Tu as dit nan ?

(o)(o) **rose1118 : Je trouve pas ton profil sur le messenger.**

8==> Moi : Mais quand elles disent nan, ça veut dire oui ?

(o)(o) **rose1118 : Tu viens ?**

(o)(o) **rose1118 : Je t'attends !**

(o)(o) **rose1118 : Vite, j'ai envie de toi !!!**

Une autre fenêtre de dialogue s'ouvrait déjà. La photo montrait une brune aux jolies fesses, allongée sur un sommier très vieux, très laid, comme on en trouve dans les chalets suisses. C'était : « Patriciamiam-miam - 27 ans - Perret - En ligne. »

((|)) **Patriciamiam-miam : Hello !**

8==> Moi : Hello (bis).

((|)) **Patriciamiam-miam : T'es dispo ?**

8==> Moi : Dispo, même si je commence à fatiguer légèrement…

((|)) **Patriciamiam-miam : Tu sait j'adore qu'on me dises des trucs trés coquins :)**

8==> Moi : Repens-toi de tes fautes, belle croupe.

((|)) **Patriciamiam-miam : J'attend plus de notre rencontre !**

8==> Moi : Ah désolé. Tu sais parfois les hommes sont brutaux.

((|)) **Patriciamiam-miam : Ajoutes-moi comme amie ! Moi je t'ai déjà ajouté !**

8==> Moi : Sur quelque préférence une estime se fonde.

((|)) **Patriciamiam-miam : J'aimerai bien te voir en webcam tu sait...**

8==> Moi : Et c'est n'estimer rien qu'estimer tout le monde.

((|)) **Patriciamiam-miam : T'as envie de quoi, là ?...**

8==> Moi : Comment ? Je suis un peu sourd, répète.

((|)) **Patriciamiam-miam : Faut qu'ont se rencontre et vite !! J'ai envie de baiser !**

8==> Moi : Sur ce sommier pourri ? Excuse-moi, mais ça fait débander.

((|)) **Patriciamiam-miam : Je suis sure que tu dirais pas nan pour un plan cul !**

8==> Moi : Certes oui, je dirais pas nan.

((|)) **Patriciamiam-miam : Viens sur le Messenger ! On pourra tchatcher coquin.**

8==> Moi : Ah là là, je sens que tu vas insister…

((|)) **Patriciamiam-miam : Tu viens ? Je suis chaude !!!**

((|)) **Patriciamiam-miam : J'ai envie de toi maintenant !!!!**

((|)) **Patriciamiam-miam : Depêches-toi !!!!!**

D'un placard je sortis un vieux sirop de grenadine, en versai dans un verre d'eau fraîche ; agrémenté d'une touillette, le tout ressemblait à un cocktail. Ce vendredi soir, je le passerais chez moi. Il suffit de garder le sourire. Tout est mental, me dis-je, égayée comme si j'avais réellement bu. Égayée ou dévariée par la faim. Mon cédé favori en fond, je m'installai devant les lumières de la ville avec *Le Petit Bulletin*, l'hebdo culturel gratuit, ouvert à la rubrique musicale.

Le vendredi soir remplit la ville de concerts. Concerts de rock, de musique de chambre, de musique pop, soirées électro, clubbing disco, cabaret new-burlesque, concerts de variétés, sets de jazz, chanteurs sur le retour, musique baroque, reggae, soul, R'n'B, house, flamenco, klezmer, hip-hop, blues, opéra, folk, nouvelle scène française, rap, dub, ska, twist, métal, hardcore, country, punk, coldwave, psy-trance, afrobeat, bossa-nova, zouk, salsa, dance, be-bop, techno, raï, swing, musique concrète, spectrale, atonale, sérielle, répétitive, électroacoustique, industrielle, metal, mais aussi death metal, symphonic metal, gothic metal, sludge metal, viking metal, unblack metal et metal progressif ; soirées twee pop, grindcore, électro cosmique, Neue Deutsche Welle, électro folk, psyché folk, punk jazz, jazz modal, visuel kei, mathcore, rock indé, acid rock, bubblegum dance, reggaeton, pop louange, pop multimodale, free-jazz, shoegaze, west coast, drum'n'bass, pixelstep, dubstep, brostep, glam rock, proto punk, émotive hardcore, jazz azerbaïdjanais, boogie-woogie, électro swing, fusion, trip-hop, grunge, gospel, rock sudiste, chiptune, drone music, fields recording, goregrind, lo-fi, stax, djent, zeuhl, britpop, riot grrrl, rockabilly, cowpunk, mangue beat, pornogrind, Rock in Opposition. Et moi qui ne sortirais pas. Qui ne connaîtrais pas les concerts de tip'n'fun', dreamhard, folk metal, hot gernika, pop-louse, klaxon stress, sitar préparé, galouche orientale, Japan radiation, cabaret krishnatonal, free Pinocchio, jazz castagnettes, alisonstep, jazz boum-boum, capila voice delight, gore in your face, cold liberty, blood in my brain, trash tonic tralala, industrial musette, sugar tréteau park, accordean krisis, galimawa traditionnelle, digressive techno-punk, larmina je vous aime, Montauban Sound Movement, peche-abricot yogurt, Fraude against TCL, my car in the garage, celtic radar hug, ambient progressiv fascism, Ricoré morning mug, trash missionnaire, cunnilingus réclamation, U2 intromission, gomora sodomite, punk levrette in the sofa, beat beat, touch touch, aïe aïe, biologic revolution, heavy chum, total clash, kantic deflagration, brain Baltimore, hot incendie, House hispanic Reform, cow suffering in abattoirs, hyper symphonic disorder, Contrebasse against Anarchy, electrosuicide, garbage band, superFric, mégaTunes, kawall psychedelic, avaried ananas, try touche F4, knacki hot dog with mustard, yellow trictrac, hopeful saudade, fucking broken ascenseur, very very long stairs, happy to be at home, Oh no I lost my keys, Beethoven arrangement, goudoule à six cordes, parmesan connexion, beaufort flavours, machinal gruyère, frizzy Fahrenheit, déchausse-pied refundation, horror crupustule, darjeeling invasion, empty frigo mood, Nazi baby blues, Hate Sarkozy for ever. – Mon verre de grenadine était fini. J'écoutai la ville résonner de tous ces concerts, perseverare diabolicum, D2 hurlement, je suis le sel de la terre, Ne klopinambour, cueillez dès aujourd'hui, tristram triste et tristement, les roses de la vie, éolien chien de Mirnoupaille, déglinguée poule et vide-raquette, sept narguilés encore braqués, dix contingents de grippe-sous, souliers vernis des liens vineux, trois nœuds félons des marins saints, concaténation du vespéral, pulvérulence du corporal, gloire au mouroir des ténébreux, brique rouge et murs montés, thé pour les biches du bois foncé, ronce des pépés décaleçonnés, nez solennel désavoué, où va le venin du Lavandou, d'où venait l'eau de la source avant, vent vendangeur en pou-de-soie, poulbot roumain en bas de chez moi, idylle des brumes igloo des cimes, margoulette dans la sardine, garde à vue mandat Hermès, dix rogatons dans les décharges, cerin cini en haut des arbres, grand bémol déçu de ses charmes, petit Carmel des grignoteurs, je ne suis pas celle que tu crois, perdrix grise et grive des bois, croissant rouge et foin de foi, docte métronome ExxonMobil, pâtes au foie riz au pesto, justin canaille foin d'artichaut, continuez c'est pas fini, irritation du durillon, pertes d'ovaires dans un patio, dernier tarot avant départ, carabistouilles et compagnie, six hooligans branchés néons, carambolage des ambitions, vous avez l'droit d'sauter des pages, modulation des empennages, qui donnera l'heure au lapin blanc, diamants volés désassortis, carottes râpées sans les orties, Diane chasseresse au curaçao, blanche prêtresse des douces caisses, verte pomme et blanches fesses, hoquet furieux des moribonds, forte fusée sans horoscope, psychologie des caméscopes, conférencier aux traits lacustres, singe laineux with acrostiches, vivantes antennes des proustophiles, Weltanschauung minimaxi, tambour caché par la trémie, circulation des inconstants, dièse perdu dans les filets, êtes-vous toujours lisant, tubulaire de métal blanc, un padawan dans la ténèbre, trois séducteurs sur roue motrice, plan de financement dans les calices, puissant sommeil du Roi de Cœur, photographie des performances, on s'est garé juste à côté, pages blanches et fins limiers, croque-mitaine con paraben, contraceptifs et Picardie, conjonctivite melancholy, blues homélie testamentaire, je déteste manger debout, digressionnisme à la saumure, cocoricos montés en neige, Sardanapale apparition, ithyphalliques et pioupiouesques, avoir vingt ans dans les Aurès, tétanisés du participe, agrémentés de l'orifice, une héroïne et deux camés, le bizutage est prohibé, canut la pinousse, prime cuvée, super-rogatonnade, start dubuffette, jiavé papansé, ouléza tumi, iaplin dgrene qijerme partou, sitan namar dlalist, fodré vouboujé, fodré zarété. Hourloupe ! Mafoi ! Pamieu !

9

Le dimanche, dans un éclair de génie affamé devant sa lampe d'Aladin, je me souvins de Bertrande. Que j'étais bête. Pourquoi n'y avais-je pas pensé plus tôt ?

Bertrande était une vieille dame de la paroisse du quartier. On se connaissait depuis des années, du temps où nous participions à la même association. Les êtres humains font tous partie d'une grande association qui a la Terre pour siège social, mais il est d'usage pour faire connaissance de participer à des associations plus restreintes. Bertrande connaissait tout le monde, vivants et morts, à la Croix-Rousse. J'avais souvent mangé chez elle du temps de ma Grande Tempête ; la fréquenter m'avait sauvée de la déprime. Sa table était ouverte à qui voulait, c'était un des nombreux signes de sa générosité légendaire. Bertrande, à ma connaissance, ne prêtait jamais d'argent, mais il lui arrivait de régler une petite facture ; une demi-douzaine d'abonnements téléphoniques de sans-papiers portaient son nom ; les clochards la connaissaient pour ses aumônes régulières ; elle refilait aux démunis fromages, tickets de métro et lots de timbres. Sa retraite entière y passait, le lundi en alphabétisation, le mardi en accompagnement à la mairie, le mercredi à la préfecture, toute la semaine en « je connais un plombier pas cher je te donne son numéro », jusqu'au dimanche « je te prête ma voiture si tu veux partir de Lyon » (car Bertrande avait une voiture et était propriétaire d'un appartement plein de bibelots et de lits d'appoint). Sa vie n'était plus que perpétuel dévouement envers la peuplade des bras cassés du quartier ; décrépite Vierge au grand manteau emmaüssé, elle prenait sous son aile tous ceux qui dans le quartier étaient isolés, battus, cotorepisés, licenciés, précarisés, abandonnés, affamés, martyrisés, cassés, finis, pestiférés, chagrinés ou disjoints. Mais, à force d'être immergée dans des situations catastrophiques où les larmes succédaient aux rires, Bertrande avait fini par contracter un tic (oui, beaucoup de mes personnages ont des tics ; c'est une manie chez moi). La petite dame parlait en permanence en pléonasmes. Tout était dit deux fois. Comme si les situations particulièrement sordides qu'elle côtoyait avaient fini par affaiblir l'usage normal du langage.

Je me remémorais cela ce dimanche, attendant que 12 : 00 apparaisse sur l'écran de ma box. Pleine d'espoir, je filai ensuite vers la rue Hamsun. Bertrande devait sortir de la messe. Dieu que j'avais faim ! Pourvu que je puisse m'incruster chez elle… J'aperçus la vieille dame, un enfant à la main, dire au revoir au curé. Elle approcha. Je marchai vers elle.

— Bonjour, Bertrande, quelle surprise ! Comment allez-vous ?

Comme j'espérais, elle m'invita à partager son repas. Je refusai.

— Mais si, entre. Ça me fera plaisir. Depuis le temps... J'ai un poulet rôti et on ne peut pas manger un poulet à deux. Le petit a un estomac de moineau. De toute façon, tu vois bien, j'avais déjà mis une assiette supplémentaire en plus. C'était pour Marius, au cas où, mais il ne viendra pas.

Mon appétit était terrible. En un coup d'œil et un inspir'narines, j'essayai d'estimer la teneur du repas, afin d'accorder mon rythme d'avalage à la corne d'abondance bertrandine, car rien n'est pire que de voir un gueuleton s'arrêter net. Heureusement, le menu semblait fourni. Le petit-fils de Bertrande, un mouchard de sept ans prénommé Paulo, ne me parut pas un concurrent sérieux, bien qu'il piochât consciencieusement dans la corbeille de pain. Tout en attaquant le plus calmement possible la salade, je demandai qui était Marius.

— Le fils de mon voisin, il a perdu son emploi à France Telecom l'an dernier. Depuis, il a dû déménager loin d'ici. La semaine, ses enfants sont à la cantine, mais lui, le pauvre, il ne doit pas manger tous les jours. Alors, le dimanche, il vient ici, il profite de ma table... [*Puis, délicatement, elle changea de sujet :*] Cette après-midi je vais à l'enterrement de Jacky. Ah là là, il s'est tué définitivement dimanche. J'avais bien senti qu'il avait des tendances autosuicidaires, mais que veux-tu, on y croit toujours... Elle est bonne, ma salade, hein ? Mange, le petit il n'aime pas ça, et moi je viens d'avoir un bon maux d'estomac, je n'ai pas droit à la salade. Le médecin il l'a dit.

Je lui dis que ce n'était pas drôle, les bons maux d'estomac.

— Oui, ta Bertrande a été tellement malade qu'elle s'est donnée en spectacle en s'évanouissant. J'avais très mal au ventre, mais j'avais promis d'assister au procès que Sylvie a intenté contre son ex-mari. Tu sais, ce type qui la battait et qui a voulu fuir en Hongrie avec ses deux petits garçonnets. Tu ne savais pas ? C'est qu'il avait des pulsions irrépressibles, cet homme. Il la battait quand il était saoul.

Bertrande ajouta avec une soudaine gravité :

— C'est ça, l'alcool : ça rend les hommes ivres.

Le poulet rôti était sur la table. Le monde était merveilleux.

— Donc, en plein tribunal, pouf ! Ta Bertrande s'évanouit ! Les pompiers sont venus, il a fallu me sortir dehors, quel cirque ! Enfin, tout s'est bien fini, Sylvie a obtenu la garde de ses enfants à charge, moi des antibiotiques. Oui, les courgettes sont succulentes, j'ai ma recette secrète. Regarde comme ce moineau-là s'empiffre tout à coup ! C'est qu'il grandit, ma parole.

— Tu le vois souvent, ton petit-fils ? demandai-je en me resservant avant que le gosse, qui révélait son potentiel de nuisance, ait fini son assiette – il m'avait déjà carotté le blanc de poulet. « Tu ne m'auras pas à ce petit jeu », pensai-je, et je déplaçai la corbeille de pain vers moi.

— Davantage depuis quelque temps. J'étais tellement triste quand ses parents se sont séparés. Que veux-tu, c'est comme ça, maintenant, le couple, ça finit rarement à deux. La semaine dernière, ma fille m'a présenté son nouveau compagnon. Un homme charmant, un représentant en photocopieurs. Il m'a fait une très bonne impression. [*ajouta-t-elle en débarrassant les assiettes*].

Je ris en taquinant le saint-marcellin. Niveau fromage, le gamin était coiffé au poteau, il grignotait un Babybel en attendant le dessert.

— Reprends encore du brie si tu veux, je voulais le donner à Mohammed, mais il est au centre de rétention. Quel malheur, ça aussi ! Un procès judiciaire est prévu. Si ce n'est pas malheureux. C'est comme les enfants de la famille Bobesco, tu sais, les Roms qui dormaient devant le snack… Non, l'autre, le snack hallal, tu vois, à côté de la pizzeria ? Bon, ils dormaient dans la rue avec des jumeaux de dix-huit mois. Même la police a été émue, faut le faire. Tu veux des fraises ? Elles sont magnifiques... Paulo, enfin ! On laisse d'abord les invités se servir !

— Je n'ai plus faim de toute façon, dis-je hypocritement en vidant un bon tiers du saladier – le gosse me lança un regard torve que je soutins crânement. « Toi, le gnome, pensai-je, quand tu paieras tes factures, on en reparlera. »

— La police était d'accord pour qu'ils dorment dans le commissariat, mais le préfet n'a pas voulu. Depuis, les employés de la librairie et ceux de l'épicerie se relaient pour les loger, mais c'est du provisoire. Je te fais un café ? Kevin m'en apporte du restaurant où il travaille. Je crois qu'il le subtilise en douce, ça me fait de la peine qu'il vole son patron, mais que veux-tu, il était si content que je l'aie hébergé à sa sortie de prison. Un chocolat ? Je ne sais pas s'il m'en reste…

Le gamin, vert de haine, me regarda finir la boîte de Ferrero. J'avais autant mangé qu'en une semaine. J'étais *couffle*, comme aurait dit ma mère.

— J'ai un service à te demander. Toi qui es grande avec ta haute taille, tu peux m'attraper le sac de vêtements sur l'armoire ? Merci, je vais les trier et les donner à la paroisse... Non, ne fais pas la vaisselle, il y a Jamaala qui passe. C'est un arrangement qu'on a trouvé : je lui fais des bulletins de salaire pour Pôle emploi, vu qu'elle a tout perdu dans l'incendie... Maintenant, tu vas m'aider à descendre ces escaliers. L'ascenseur est en panne et une vieille dame âgée comme moi, il faut la soigner. Ça me fait plaisir que tu sois passée. Je te trouve en pleine forme. Tu as dit au revoir à la dame, Paulo ? Ah, ces enfants, quelle éducation !

Bertrande avait toujours l'air de croire qu'on passait pour lui dire bonjour. Elle vous demandait de lui descendre un sac « pesamment lourd » ou de lui ouvrir un pot de confitures « fermé trop serré », ou encore – « puisque tu es écrivain » – de corriger une lettre. De sorte que je la quittai allégée de la faim comme de la honte du quémandeur. Sans parler d'un autre soulagement, moins avouable. Bertrande, en aidant les misérables, déclenchait chez les semi-pauvres, les petits-bourgeois précarisés ou les chômeurs de mon espèce, un réconfort de l'ordre de la relativité restreinte. En entendant conter les abominables malheurs des autres, je ressentais un soulagement lâche, celui de me savoir mieux lotie qu'eux.

Je rentrai chez moi avec un moral d'enfer. Lundi, c'était le 1er du mois. Au plus tard dans trois jours, mon RSA serait tombé. J'avais des amis, le printemps était splendide, tout allait s'arranger.

10

Le surlendemain, je pédalai jusqu'à la bibliothèque universitaire. Je n'avais qu'un peu de pain en guise de pique-nique, mais une envie substantielle de sortir de mon studio, et le goût d'écrire, espérant que ce travail m'apporterait un jour quelque chose, le plaisir, la reconnaissance, l'amour, l'argent, la culture, l'utilité sociale, bref, tout ce qui peut rendre la vie supportable.

J'arrivai dix minutes avant l'ouverture de la bibliothèque. Pour tuer le temps, je regardai les gens sortir de la bouche de métro. L'ENS de Fontenay avait été délocalisée à Lyon plusieurs années auparavant. J'observai les étudiantes de l'École. Ces normaliennes tranchaient tellement avec les passants ordinaires. Rien que par l'habillement. Ce que ces femmes avaient sur le corps formait un ensemble si harmonieux qu'il aurait été simpliste de le décrire avec des noms aussi vulgaires que pantalon, jupe, pull ou veste. Chacun de ces vêtements semblait, au-delà de sa contingence, une touche gracieuse dans un tableau d'esthète, chacun tombant un peu plus bas ou un peu plus haut que d'ordinaire, leur violet étant plus violet, leur noir plus noir. Les couleurs ne faisaient pas que s'accorder – c'eût été trop commun –, elles dessinaient une palette originale, le plus souvent de tons pastel, ocre, pourpres, ou des camaïeux de beige. En comparaison, mes nippes me parurent laides et bassement fonctionnelles. Les normaliennes sont belles. Elles portent des collants fins, sans trous, sur de longues jambes sans muscles terminées par des bottines introuvables dans les enseignes de prêt-à-porter. Leurs jupes sont taillées dans de vieux pulls provenant d'une friperie connue d'elles seules, leurs pantalons cousus dans un tissu anglais râpeux, qui, sur leur corps gracile, ressuscite en un vêtement remarquablement *vintage* qui va, ma chérie, si bien avec ton petit haut. Les normaliennes ne sont jamais *too much* : rien de banal, mais rien d'extravagant. Sur leurs épaules frêles qui rappellent que, malgré leur port altier, leur démarche allongée et leur CV en béton, elles restent de faibles femmes qui acceptent de poser le soir leur charmante tête sur le torse de l'homme qui les a séduites, les normaliennes ont placé la lanière de leur sac ; sac en cuir, sac en tissu, sac qui suit harmonieusement le mouvement de leur dos bien droit, jamais avachi, et de leurs fesses qui ondulent vers le portail de l'École ; ce sac apporte le signe visible d'une marque de luxe, proclamant sans détour de quel côté elles se situent de la barrière sociale. De ce côté-là, il ne faut pas paraître travailler ; jamais vous ne verrez une normalienne avec un sac à dos, ça ferait ouvrier ; il ne faut pas avoir l'air de minauder, jamais leur sac ne sera vide de livres. Et, leurs fines lunettes sur leurs grands yeux impeccablement maquillés, elles se font la bise les unes aux autres, se reconnaissant dans la foule qui sort du métro, parlant de leur prochain cours de *master*, ou du dernier Godard, de bien d'autres choses encore, puisque au-dessus de l'imperceptible trait d'eyeliner gravé sur leurs paupières, l'idée de pouvoir se taire n'est jamais demeurée longtemps dans leur esprit.

Les mâles, par contre, sont laids. Si le corps des normaliennes est d'une minceur qui, sans paraître jamais due à un quelconque régime (qui aurait la vulgarité de ramener une contrainte alimentaire – prosaïque donc vile – dans cet espace libre et incréé où elles respirent depuis leur naissance), les rend strictement conformes aux canons les plus modernes de la beauté, les hommes, eux, paraissent chétifs. Leur uniforme est le jeans-chemise-pull. Aucune sensualité. Je vois ces geeks de l'anacoluthe se joindre au groupe des filles. Ils sont accueillis avec bienveillance, les normaliennes sachant ne pas rester exclusivement entre elles. Non qu'elles pourraient ne pas, entre femmes, se plaire ou se gougnotter, mais on se fatigue à comparer d'un coup d'œil assassin la nouvelle écharpe de l'une ou le manteau afghan de l'autre, à se faire des compliments faux culs – Très joli, chérie, tes boucles d'oreilles, c'est de l'ambre ? – alors, quelque chose d'atavique les fait rechercher la compagnie masculine. C'est pour eux, finalement, qu'elles se font belles. Dans cette clique de laiderons hilares sélectionnés dans toutes les khâgnes de France, je vois bien qu'il y a de nombreux fats, comme dirait Cyrano, beaucoup de faquins, de pieds-plats ridicules. Mais ces petits péteux qui mènent une ascétique thèse sur Spinoza pour finir grassement rémunérés sur une chaîne câblée prennent l'habitude de plaire à ces femmes, et à force de les fréquenter contractent l'habitude d'être entourés de créatures magnifiques ; ils jugeront ensuite avec un dédaigneux sans-gêne, compte tenu de leur propre physique de tuberculeux, les filles humainement belles ou ordinairement vêtues qu'ils côtoieront plus tard.

À détailler cette ligue d'étudiants privilégiés, je ne pus m'empêcher, malgré mes sarcasmes, de me sentir moche. Passer tout l'hiver avec deux pulls me semblait normal à cette époque. D'une certaine manière, je gagnais du temps le matin. Car le soin que mettent les normaliennes à se vêtir ne pourra jamais être apprécié à sa juste valeur par aucun homme. C'est pourquoi, pour se rendre l'hommage qu'elle mérite, la normalienne se fera la première admiratrice d'elle-même. Sans cesse elle passera sa main dans ses cheveux, refera le nœud qui les rassemble ou les lâchera en cascade sensuelle sur son cou comme une caresse onaniste d'une vocation contrariée de coiffeuse. Elle remontera son col roulé, elle promènera ses doigts sur ses pommettes, elle se sentira si bien dans son corps qu'elle jouira de se lever, de marcher et de s'asseoir, et ne détestera rien tant que ces molles heures de début d'après-midi où son rouge à lèvres a fondu dans le cabillaud-polenta de la cantine universitaire.

11

Mardi, mercredi, jeudi, mon ASS n'était toujours pas tombée. (J'ai dit RSA tout à l'heure pour aller vite, mais je touche l'Allocation de solidarité spécifique, c'est le même montant, sauf que l'ASS est gérée par Pôle emploi, non par la CAF.) L'allocation a sûrement été virée, me dis-je, mais la banque l'a retenue dans ses tuyaux. Je pouvais le savoir en me connectant au site pole-emploi.fr. Dans l'arborescence de mon espace personnel, je cherchai l'information sur « mes indemnisations »... Rien, aucun virement en attente.

Une chaleur envahit mon visage. J'avais pourtant, comme il est demandé, rempli dix jours auparavant ma télédéclaration, celle qui d'ordinaire déclenchait le salvateur virement. Et là, rien. « Il y a un problème. » Je décrochai le téléphone et appelai le 3949. La musique d'attente du serveur de Pôle emploi, alors que j'étais près de pleurer, me broya cruellement les nerfs. Je tapai sur la touche 2, puis *, puis 3, puis #1, puis 5, et je composai mon identifiant, mon code postal, tout en cherchant à trouver quelqu'un, quelqu'un de réel, un être humain à qui parler. Au bout de trois appels, je parvins à feinter le serveur vocal, et, très éprouvée, obtins enfin une téléconseillère.

— Bonjour. Voilà, je vous appelle parce que je n'ai pas reçu mon ASS. Nous sommes le 4 et j'ai vu qu'elle n'a pas été virée. Je me demande ce qui se passe.

— Je consulte votre dossier... C'est parce que vous avez travaillé, madame. Vous avez noté cent cinquante euros de salaire dans votre télédéclaration.

— Oui, c'est une pige du mois dernier. Mais on peut cumuler travail et allocation, j'ai vérifié.

— Bien sûr, madame, c'est même encouragé. Le problème, concernant votre situation, c'est que nous n'avons pas reçu le bulletin de salaire confirmant votre télédéclaration.

— ... Et je dois faire quoi ?

— Chaque fois que vous travaillez, vous devez nous envoyer une photocopie de votre fiche de paie pour que nous puissions vérifier la conformité avec vos télédéclarations. En attendant, l'allocation est retenue.

— Je n'ai pas reçu mon bulletin de paie. Vous ne pouvez pas verser l'allocation quand même ?

— Non, madame, parce que les règles de cumul sont différentes selon le revenu.

— Mais pour cent cinquante euros, c'est quoi ?

— C'est le cumul complet entre salaire et allocation.

— Alors pourquoi vous ne me versez pas mon allocation si son montant est inchangé ?

— Parce que nous devons vérifier que vous avez bien gagné cent cinquante euros, et pas, par exemple, huit cents. Dans ces cas-là, l'allocation est réduite à hauteur de trente pour cent de la différence entre le...

— Attendez : à quoi sert une télédéclaration si vous pensez que je mens ? Que j'ai déclaré cent cinquante au lieu de huit cents ? Ce serait idiot de ma part...

— Ce n'est pas moi qui fais les règles, madame.

— Je fais quoi en attendant que le journal m'envoie mon bulletin ? Parce que, si je calcule bien, entre l'envoi de la fiche de paie par mon employeur, sa réception et la photocopie, son renvoi via la Poste vers vous, l'ordre de virement et le virement effectif... ça va prendre dix jours avant que je touche quoi que ce soit... Comment je fais pour vivre d'ici là ? Je n'ai plus d'économies du tout.

— Il faut appeler votre employeur, madame. Dès que nous recevrons la preuve de la véracité de votre déclaration, votre allocation sera versée sur le compte bancaire afférent.

— Mais c'est un nouvel employeur ! Je ne peux pas me griller. Ça se trouve, il fait pas les fiches de paie des pigistes avant plusieurs semaines...

— Il faut vous arranger avec lui. Il n'a pas le droit de faire ça.

— C'est stupide, votre système. Dès que je gagne trente euros en salaire, si je ne reçois pas illico ma fiche de paie, je ne reçois pas l'ASS. Et comme je n'ai pas le salaire non plus, résultat je ne touche rien...

— Ça fonctionne bien d'ordinaire, même s'il y a parfois un petit... rodage les premiers mois, jusqu'à prendre l'habitude des démarches complètes.

— Je vous propose un deal : envoyez l'allocation aujourd'hui. Vous ferez la régularisation avec l'allocation suivante, si vous pensez que je vous ai menti.

— Je n'ai aucunement ce pouvoir, madame. De plus, ce système permet d'éviter les trop-perçus et les remboursements, qui sont très mal vécus par les allocataires.

— Et les pas-perçus-du-tout, vous pensez qu'ils sont mieux vécus ?

— Ce n'est pas moi qui fais les règles. Il y a une procédure à respecter.

— La prochaine fois, je ne déclarerai rien. Comme ça, je toucherai tout quand il faut.

— Les fausses déclarations sont punies par la loi.

— Vous vous mettez à ma place ?

— Je vous explique les démarches.

— Mais c'est débile…

— Est-ce que j'ai répondu à votre question, madame ? Il y a beaucoup de monde au standard.

— Oui, mais non, s'il vous plaît, soyez sympa, faites-moi partir mon ASS… Je vous promets d'envoyer le bulletin de salaire dès que possible.

— Même si je voulais vous aider, je ne pourrais rien faire, madame. Je n'ai pas accès à votre dossier et ce n'est pas légal.

— Tout à l'heure, vous aviez accès à mon dossier…

— Oui, pour consultation. Mais je ne peux pas décider par moi-même de verser l'allocation. Il faut suivre l'ensemble de la démarche. Est-ce que j'ai répondu à vos questions, madame ?

— …

— Tout est clair pour vous ?
— ... Oui, tout est clair...
— Bon courage, madame, et n'oubliez pas d'envoyer la photocopie à l'adresse indiquée sur le site.
— Je ne risque pas d'oublier.
— Au revoir, madame. Je vous souhaite une très bonne journée de la part de Pôle emploi.

12

Ne pas pleurer mais réfléchir. Ce contretemps administratif reportait mon ASS, mais il ne la supprimait pas. Deux sommes allaient bientôt regarnir mon compte : une pige et une allocation. J'en conclus que je pouvais risquer d'être à découvert. Car mon argent n'avait pas disparu, il était juste perdu dans les limbes administratifs. À l'autre bout, j'étais victime d'un décalage entre la valeur nominale et la valeur réelle de mon compte en banque, ou la valeur nominale et la valeur d'usage, enfin un truc comme ça... Tout plutôt qu'annuler ces courses prévues depuis dix jours. Dès que j'aurais fait un bon repas, je verrais les choses avec plus de clarté, je trouverais du travail.

— C'est bien, ma fille, je te préfère comme ça, commentapatit maman.

Courageusement, je descendis joyeusement les escaliers. Mais, juste avant de franchir la porte de l'immeuble pour aller faire ces courses tant attendues, j'eus la curiosité d'ouvrir ma boîte aux lettres. S'y trouvait une enveloppe frappée du logo de Veolia Eau. Que leurs maisons soient détruites par le feu ! C'était une facture de 90 euros. Un rappel d'une facture impayée. Pour cet enchaînement de calamités, on devrait inventer des phrases plus lourdes et plus étouffantes. J'y pense maintenant, mais à l'époque la première chose que je me suis dite fut : « Voici le moment idéal pour un contemplage de plafond. » Tristement, je remontai piteusement les escaliers.

Pour un bon contemplage de plafond, il faut :

N°1 ----> un lit ;
N°2 ----> un plafond ;
N°3 ----> un individu découragé.

1 ----> Le lit.

Doit être facilement accessible pour que l'individu découragé puisse se laisser tomber dessus en pleurant. Ce lit doit être à une distance raisonnable du plafond. En me fondant sur mes nombreuses séances de contemplage avancé, je recommande une hauteur sous plafond d'au moins deux mètres cinquante.

1.1 Un lit glissé sous une mezzanine ne fera pas l'affaire, car le plafond sera trop près de la tête de l'individu. Or le contemplage de plafond demande des mouvements amples des yeux, c'est même la seule activité requise.

1.2. *A contrario*, avec un lit à plus de quatre mètres du plafond, les yeux vont se fatiguer et la séance sera mal engagée.

1.2.1. Mais si vous avez plus de quatre mètres sous plafond, c'est que vous êtes riche, et dans ces cas-là le contemplage est généré par un chagrin d'amour ou un courrier du fisc, deux luxes qui ne nous concernent pas.

2 ----> Le plafond.

2.1 Il est l'objet du contemplage. Un plafond immaculé ne conviendra pas au soulagement de l'esprit déprimé. Sa blanchitude empêchera le bon enlevage de soucis que la séance est censée produire, le bénéfice de la contemplageation étant directement indexé aux distractions successives que les yeux doivent trouver sur le plafond.

2.1.1 Nous pouvons résumer par cette équation : Plafond blanc => zéro distraction => mauvaise séance.

2.2 Un plafond crasseux, bien qu'il recèle de nombreuses poches de curiosité, donc de nombreuses possibilités de s'y attarder en oubliant ses soucis, ne sera pas optimal non plus. La saleté d'un plafond a tendance à déteindre sur l'esprit découragé, accroissant, par un phénomène de conductibilité (ou de conductibilitage), la noirceur du moral du regardeur.

2.3. Un vieux dégât des eaux, le cadavre sec d'un insecte écrasé, des traces de doigts lors d'un changeage d'ampoule, tels sont les éléments suffisants pour le cerveau de...

3 ----> ... L'individu découragé.

Il doit avoir assez de force pour se traîner jusqu'au lit, mais être suffisamment assommé pour rester inerte pendant deux heures. L'individu idéal n'est pas forcément affamé, par contre il doit être franchement déprimé. Au point de renoncer ce soir-là à se faire cuire des nouilles (phénomène dit aussi vespéropastoflemmage).

4 ----> Disposez ainsi :

<u>2</u>
<u>3</u>
<u>1</u>

Ne secouez pas !

(l'individu contemplageatif l'a suffisamment été)

5 ----> Laissez reposer.

La décantation psychique opérant, quelques solutions peuvent parfois apparaître chez l'individu, et son état émotionnel se reformer. Ah, si tous les plafonds du monde pouvaient se donner la main ! Ils diraient ce qu'ils ont soutenu, la tête en bas, de la souffrance humaine...

Mes pleurs finirent par sécher. La question de la facture Veolia Eau (que la lèpre assèche leurs testicules !) se dilata dans les airs. Une question secondaire m'animait. Pourquoi avais-je donc ouvert cette fichue boîte aux lettres ? Pourquoi cette précipitation à regarder mes e-mails, à vérifier si je n'ai pas de messages, pas de SMS...

— Peut-être, proposafit ma mère, parce que tu aimerais que quelqu'un pense à toi...

C'est bien ce que je dis, c'est complètement puéril, c'est signe d'immaturité.

— Parce que ça t'occupe, tout simplement, fistouquilla Hector en interrompant son échange de textos avec Belinda.

Occupation futile, improductive, dispersive, et même les pédégés se perdent dans ces compulsives vérifications...

— Parce que recevoir ces signes te rassure, completalista ma mère, c'est la preuve que tu existes, ça te console de ta solitude.

Je n'ai pas peur de la solitude, maman.

— Ne te cache pas derrière ton petit doigt, ma fille...

— Dis donc, dit Hector en changeant de sujet, tu ne pourrais pas, avec ton mirifique et scripturaire talent, pousser Belinda à rompre avec son affreux type, puis la faire tomber amoureuse de moi ?

Ah non, pas envie. Je regarde le plafond.

— Allez, sois sympa. Ça ferait une super scène de baise, moi et cette sexy fille.

Pas question. *Primo*, c'est un détournement d'écriture, et *deuzio* – puisque tu me demandes mon avis – Belinda est amoureuse d'un jeune et gentil Parisien qui serait sûrement très malheureux si...

— J'hallucine ! Tu prends son parti ! s'enfâcha Hector. C'est honteux. Tu es *mon* amie, tu dois être de *mon* côté dans cette histoire.

Non. Je suis parfaitement impartiale. Je suis l'Universel, l'Unique, l'Auteur, je n'ai pas de sexe, pas de condition sociale, pas de contrainte, je suis incréé, je suis le Souffle – que dis-je ? – le Verbe, je n'ai...

— Tu devrais rentrer à la maison, ma fille, continumorigéna ma mère. Tu perds la tête. Tu as été courageuse, mais ça suffit, rentre à la maison.

Ma mère n'avait pas tort. Mais elle ignorait qu'il y a des étapes dans la mouise. Être pauvre un an, c'est difficile, mais on s'adapte. On est même fier de montrer qu'on peut s'en sortir. Être pauvre deux ans, c'est être assigné à résidence, mais le pli est pris, on se trouve plutôt bien dans son petit réduit. Être pauvre trois ans et toutes les années qui suivent, c'est voir sa garde-robe tomber en ruine, perdre ses amis, ne plus savoir ce qu'est s'amuser, ne plus aller voter, ne plus distinguer ce qui pourrait vous aider. Aussi ne rentrai-je pas encore à Sullac (où, pendant que des factures sont ouvertes devant des boîtes aux lettres, des voitures immatriculées dans l'Hérault passent sur des départementales dont les fossés sont entretenus à la débroussailleuse, où Tatiana vient de prendre son service au McDonald's du rond-point périphérique, où le renardeau du terrier du bois d'en face, à sa première sortie, finit étranglé par les serres d'une buse) ; en revanche, dès le lendemain, j'eus la force de demander le secours d'une assistante sociale.

13

Les dames du Centre communal d'action sociale m'avaient aidée à faire un épineux dossier lors de mon transfert des indemnités chômage vers les minima sociaux. Les assistantes sociales du CCAS se ressemblaient de manière troublante. Elles avaient toutes la même teinture pour cheveux, étaient toutes âgées de quarante à cinquante ans, faisaient toutes preuve d'une écoute bienveillante, m'informant sur les différents subsides possibles sans jamais faire aucune entorse aux règles administratives. J'espérais qu'une dame saurait m'aider à payer cette facture. J'entrai au CCAS munie du papier de Veolia Eau (que des scorpions leur grignotent le blanc des yeux !) et de mon récipissé récépecé recédépecé de récipiendaire d'ASS.

C'était un bureau tranquille, une gentille dame, mais, mais, mais : il ne se passa rien.

— Comment ça, rien ? sursautaligna ma mère.

L'assistante sociale était très gentille, mais, c'est sans doute une bêtise, mais, j'ai finalement laissé tomber…

— Ah ! ma fille, tu me désespères ! C'est une grave erreur que tu commets là.

Laisse-moi t'expliquer, maman. J'ai fait de mon mieux. Dans ce bureau, je me suis mordu les lèvres pour ne pas pleurer tellement je me faisais pitié à moi-même en expliquant ma situation. L'assistante m'a appris que le département pouvait exceptionnellement régler des factures. Dans ce but, elle m'a donné un autre rendez-vous pour constituer un dossier de demande auprès d'un fonds d'aide de je ne sais quoi, qui m'aiderait si je faisais tout d'abord opposition au prélèvement automatique... Trop compliqué. J'ai renoncé.

— On n'a rien sans rien. Il ne faut pas baisser les bras ! Va au bout de la démarche.

J'aimerais t'y voir. C'est tout de suite que j'ai besoin d'aide, pas dans une semaine revenir déposer une requête pour avoir la réponse dans un mois après consultation de la commission *ad hoc*. Et tu imagines si la réponse est négative ?

— C'est normal que ça prenne du temps, tu ne peux pas tout avoir sur un plateau, clafoutit maman.

En sortant du rendez-vous avec l'assistante, j'étais réconfortée. On m'avait écoutée. Je n'étais plus seule avec mes honteux problèmes, j'étais un chaînon dans la scoumoune collective, enfoncée dans un processus de précarisation connu des services sociaux. Les crocs de la bête sur mon cou étaient un peu moins enfoncés, une petite protection avait commencé à poindre sous la puissance de notre bon vieil État. J'étais tout à fait prête à déposer ce dossier.

— Mais alors, pourquoi renoncer ? bressigna ma mère.

Parce que, rentrée dans mon studio, j'ai fait l'erreur de lire tout de suite la liste des pièces à joindre au dossier. Les bras m'en sont tombés. Voici la liste des documents exigés :

photocopie de la carte d'identité ;

photocopie de l'avis d'imposition de l'année passée ;

photocopie des fiches de paie (ou avis de paiement du Pôle emploi) ;

photocopie de l'attestation CAF (le cas échéant) ;

photocopie de la dernière taxe d'habitation ; et/ou
photocopie de la dernière taxe foncière ;

photocopie de la dernière quittance de loyer ;

photocopie des charges de copropriété ;

photocopie de la dernière quittance EDF/GDF ;

photocopie de la dernière quittance de l'assurance habitation et voiture ;

échéancier des prêts en cours ;

tout justificatif de dette ;

un RIB ou RIP...

~~photocopie~~
~~photocopie~~
~~photocopie~~
~~photocopie~~

— D'habitude on s'abstient de mettre ce genre de prosaïque liste dans les livres à littéraire prétention, s'immisça Hector, très remonté contre moi. Tu ferais mieux d'écrire une belle histoire d'amour...

Lâche-moi, tu veux. J'ai d'autres soucis.

— C'est à moi que tu parles, ma fille ?

Non, maman, à un importun. Il est parti lire ailleurs.

— Ah, je préfère ça. Tu sais, dans la vie, il faut toujours rester polie et honnête. Et surtout, il ne faut jamais se décourager.

Je suis bien d'accord. J'avais commencé à rassembler les papiers. Mais voir étalés tous les ressorts de mon misérable équilibre économique me fit honte. J'aurais voulu qu'on me soulage plutôt que d'accroître ma débine par une démarche supplémentaire. Sans compter le prix des timbres et des photocopies... Ensuite, j'eus peur. Étais-je suffisamment pauvre pour cette aide ? Est-ce que je ne devrais pas mentir un peu pour avoir plus de chances de l'obtenir ? Mais le dieu État est omniscient. Il voit tout, il sait tout, il enregistre tout dans son Grand-Fichier-Informatisé. Mes piteux mensonges seraient dévoilés et je serais huée en place publique, à jamais indigne d'être secourue. Ma vue se brouilla. L'assistante sociale s'était transformée en méchante sorcière dansant la danse de Saint-Guy sur mes paperasses, fouillant dans ma plus intime intimissime intimité, pour décréter, après m'avoir exposée devant le tribunal de la Scoumoune nécessiteuse, que j'étais indigne de recevoir le moindre pécule. Je sentais une brûlure entre les oreilles, dans le ventre, autour des yeux, quelque chose de répugnant. Et ce sentiment d'oppression, qui me faisait serrer les dents, ressemblait tout de même à de l'humiliation. À peine le mot s'était-il formé dans mon esprit que je me levai en disant : QU'ILS AILLENT SE FAIRE FOUTRE ! Tout ça pour 90 minables euros d'eau. Ils ne sauront rien. Je vais me débrouiller toute seule.

Je me retournai. Fâchée par le relâchement de mon langage, ma mère s'éclipsa. Hector, lui, était revenu.

— Et tu vas faire quoi, maintenant ?

Aucune idée. Avait-il une solution pour moi ?

— Je t'ai déjà proposé quelque chose de génial : moi, Hector, je couche avec Belinda…

Je ne voyais pas ce que ça changerait à mon problème.

— Te prends pas la tête, ma pote, laisse-la courir, cette maudite facture...

Alors, là, impossible. Je ne voulais pas voir débarquer les huissiers. Et puis, honorer ses traites, même en se mettant à découvert, c'est toujours faire avancer les choses, faire bouger les lignes. Si on doit s'enfoncer dans la mouise, qu'on y aille franchement. Pas de prudence, disait Saint-Just.

Je fis le chèque de 90 euros, timbrai l'enveloppe, puis m'écroulai dans mon lit pour pleurer. Je pleurai longtemps, jusqu'au moment où tout fut noir aussi dehors. Je me couchai en grignotant des petits carrés de chocolat qui sont donnés en accompagnement des cafés et que je garde en réserve pour les soirées de déprime.

14

Le lendemain, je me dis que l'heure n'était plus à trouver du travail, mais de l'argent. Alors je fis ce que tout le monde aurait fait à ma place : j'allumai mon ordinateur. Via le site PriceMinister, j'avais vendu de nombreuses affaires du temps de mon Grand Exode. Le Grand Exode est le moment où je me suis arrachée à ma vie précédente. Chacun a dans son cœur son après-guerre, sa Libération ; chacune a vécu sa sortie d'Égypte, son New Deal, sa Grande Dépression ; chaque biographie personnelle peut s'écrire de la même manière qu'un livre d'histoire, avec ses périodes glaciaires et ses révolutions.

Mon *compte vendeur* n'attirait plus de clients, je devais créer de nouvelles annonces. Ma bibliothèque contenait encore quelques livres pouvant receler une valeur marchande. J'en retirai, à regret, une petite dizaine. Le temps qu'un internaute les achète, que je les envoie par la Poste et touche 5 euros via le site, mon compte en banque n'était pas près de se regarnir. Par contre, dès que les rapaces de Veolia Eau (que des torrents de boue inondent la maison de leurs mères !) recevraient mon chèque, ils l'encaisserait et mon découvert serait de 72,30 euros.

Il y avait bien la solution Airbnb : louer ma chambrette 40 euros la nuit. C'eût été une solution idéale si ma chasse d'eau fonctionnait, si mon unique chaise ne menaçait pas de s'effondrer, si mes assiettes n'étaient pas ébréchées. Ça fait longtemps que personne ne va plus « chez ma tante » ou « au clou », comme on lit dans les romans du XIXe siècle. Le Crédit municipal est aujourd'hui un guichet administratif où la liste des papiers exigés pour un dépôt est aussi longue qu'une file de demandeurs d'asile devant la préfecture. L'heure est plutôt à refourguer ses meubles aux brocanteurs, ses DVD sur leboncoin.fr, et ses livres chez Gibert. Les plus riches peuvent vendre leur or. Je possédais bien une chaînette autour du cou ; mais c'était un cadeau de mon père, impossible de m'en séparer. Il ne me restait que la solution leboncoin.fr.

D'un œil sévère, tel un général d'armée s'adonnant à la décimation, je scrutai mon studio à la recherche d'une source potentielle de liquidités. Les objets tremblaient sous mon regard. Pas moi ! Pas moi ! semblaient-ils me dire. Le sort tomba sur le plus jeune : un grille-pain offert à Noël et qui, ayant adopté les mœurs locales, lisait, le ventre vide, un volume de Jean Racine.

Je m'approchai de lui. À ses côtés, la bouilloire électrique poussa un soupir de soulagement. Le grille-pain, comprenant son sort, s'accrocha en pleurant à sa prise électrique.

— Quel est mon crime ? Pourquoi m'assassiner ? Qu'ai-je fait ? À quel titre ? Qui te l'a dit ?

— Allons, bouilladit la bouilloire. Ne te mets pas dans un état pareil, tu vas te court-circuiter...

— C'est une félonie, c'est une trahison ! Voilà la rançon de tant de dévouement !

— N'en fais pas une tragédie. Tu n'es qu'un grille-pain, après tout, reprit la bouilloire en faisant claquer plusieurs fois son bouton *on/off*.

— Qu'un grille-pain, dites-vous ? J'étais son compagnon, j'étais un antalgique à sa situation ! Quand elle glissait une tranche dans mon ventre, je gémissais de bonheur. De son pain rassis je faisais un pain chaud croustillant. Je le lui rendais avec délicatesse afin qu'elle ne brûle pas ses charmants petits doigts. Vaines précautions ! Cruelle destinée ! Pourquoi le sort m'est-il si défavorable ? Et pourquoi vous, voisine, êtes-vous épargnée ?

— Moi, rétorqua la bouilloire, qui, piquée, émit un chuintement avec un reste d'eau, j'ai l'amabilité de l'accompagner toute la journée, pas seulement le matin. Vos ardeurs téméraires augmentent ses factures. Je suis plus économe, mais aussi plus discrète. Vous vous étalez trop sur ce plan de travail. Souffrez que d'autres soient plus utiles que vous. On peut manger du pain sans le griller. Comment boire sa Ricoré sans une bonne eau chaude ? Auriez-vous perdu tout le soin de ma gloire ?

— Ah ! Je ne suis pas sourd et j'entends vos raisons. Mais je ne veux partir de ces illustres lieux. J'ai tant d'amour pour ma propriétaire. Quand à la fin du mois elle me donnait, misère, de modestes biscottes, j'inventais pour elle des saveurs de noisette et d'amande grillée. Je chauffais, je brûlais, je languissais pour elle.

Ô tendresse ! ô bonté trop mal récompensée ! De quoi m'ont profité mes inutiles soins ? On me remplissait plus, je ne consommais pas moins.

— Ne sanglote pas, tu me fends la résistance. À quel prix veut-elle te vendre ?

— Elle a dit quinze euros, renifla le grille-pain. Objet infortuné des vengeances célestes, j'en valais deux fois plus à ma naissance…

— Mais tu sais aussi de quel œil dédaigneux tout acheteur regarde les objets d'une seconde main, hyppolita la bouilloire.

— Qui sait ce qui va m'arriver dans une autre demeure ? pasiphaha le panicuire. Trouverai-je autant de soin, autant de bienveillance ? De noirs pressentiments viennent m'épouvanter. Mon acquéreur sera une vieille harpie revêche, elle m'accusera de faire sauter les plombs, elle me mettra au placard, me préférant, qui sait ? un vulgaire gaufrier. Et moi, triste rebut de la nature entière, je finirai dans un petit coin sombre avec mon noir chagrin.

— Éloigne ces funestes pensées. Qui sait ce que le destin te réserve ? Peut-être que dans ton futur foyer, il y aura du pain complet, des croissants, des enfants.

— Des enfants ? grilla le chauffe-tranche.

— Quoi de plus beau que des enfants venant goulûment te remplir tour à tour les entrailles ? Depuis mes hauteurs, je ne sers qu'aux adultes, mais toi, tu pourras réjouir les enfants de toute une maisonnée. Quel doux bonheur alors, d'avoir déménagé !

— Que mon cœur, chère amie, écoute avidement un discours qui peut-être a peu de fondement, renifla le grille-tartine en secouant timidement sa prise électrique. Cependant vous sortez, et je pars…

— Ce ne sont pas les enfants qui manquent dans cette ville. Et puis, débéracina la bouilloire en chuintant d'un coup sec, il faut te faire une raison : tu savais bien qu'avec la crise tu serais le premier sur la liste…

— Hélas !

15

Sans pitié pour ce tragique échange, je débranchai le grille-pain, pris quelques photos avec ma webcam intégrée, et publiai l'annonce sur leboncoin.fr.

Pour tromper ma faim, je restai à surfer sur le site, bavant d'envie devant les vélos dernier cri, les fours à pyrolyse, les machines à laver, les gîtes à louer, le linge de lit, les Cocotte-Minute et toutes les choses qui me manquaient *dans l'absolu*. Dans l'absolu, dans le vide, dans les espaces suspendus, si j'avais eu de l'argent, toutes les choses que j'aurais achetées, les vêtements que j'aurais portés, le matelas sur lequel j'aurais dormi, le peignoir que j'aurais enfilé après une douche relaxante, les petits luxes que je me serais permis... Tout ce qui ne pouvait arriver qu'au conditionnel.

Sans doute le conditionnel a-t-il été inventé par une famille pauvre pour mieux supporter sa condition. Ce devait être il y a très très très longtemps, quand n'existaient ni l'électricité ni la déprime du dimanche soir et que tout le monde croyait en un dieu super-méchant. Cela avait dû se passer dans la famille Ladèche.

Les Ladèche travaillaient sur le domaine de deux familles alliées, Jeveux et Geaidequoi.

Les Jeveux et les Geaidequoi mangeaient des sangliers rôtis en parlant de leurs voyages en Italie au futur, de leurs possessions foncières au présent, de leurs glorieux mariages au passé composé. Jadis les Ladèche avaient été invités à ces agapes, mais ils n'avaient rien eu à dire ; c'étaient des gens sans généalogie et sans vacances au ski. On les avait renvoyés chez eux éplucher des pommes de terre pour finalement les réduire en servage.

Mais un jour, alors que le seigneur Geaidequoi se promenait à cheval, admirant le coucher de soleil sur ses immenses terres, il entendit un éclat de rire sortir de l'humble cabane des Ladèche. Il regarda par un carreau. Ce qu'il vit le stupéfia. Les membres de la famille au grand complet, couchés tête-bêche sur des paillasses, écoutaient un jeune troubadour. Les bonnets de nuit tressautaient dans les moments de gaieté, l'instant d'après des larmes coulaient sur les visages. Ce que racontait le jeune homme semblait captivant. Geaidequoi en conçut une subite jalousie. Il recula de quelques mètres et cria :

— Holà ! manant, sors de là, je veux te parler !

Il y eut un silence, puis des chuchotements.

Ladèche dit enfin :

— Mon bon maître, si j'avais été habillé, je serais sorti. Mais je suis nu, et je ne voudrais pas vous offenser.

Le noble n'en croyait pas ses oreilles.

— Qu'est-ce que tu racontes ? Je vais entrer et te tirer du lit !

— Moi, humble paysan, j'aurais mis en colère mon bon maître ? Allons donc...

Et le vieux Ladèche sortit en chemise de nuit, suivi par le jeune inconnu. Ils étaient hilares.

— Mon seigneur, dit le paysan qui semblait avoir perdu sa servilité coutumière, vous devriez prévenir quand vous passez près de notre humble demeure. Si vous étiez venu hier, je vous aurais offert un chocolat chaud. Malheureusement, aujourd'hui, je n'ai plus de lait.

Le chevalier fut décontenancé. Les Geaidequoi n'avaient jamais goûté à du cacao. Même les Jeveux n'étaient pas assez riches pour ça (sans compter que ce n'était pas l'époque).

— Tu te moques de moi, maraud ! À cette heure, vous... dormez en faisant les cauchemars propres à votre engeance, vous vous... reposez pour mieux être exploités demain dans mes champs.

C'est le troubadour qui rétorqua :

— Voulez-vous dire qu'il n'*aurait* pas dû vous parler ainsi ? Que nous *aurions* dû dormir ?

Geaidequoi hoquetait. Pour la première fois de sa vie, il sentait quelque chose lui échapper. Il balbutia, fou de rage :

— Qu'est ce langage ? Tu me le paieras ! Si je veux, je te tue.

Le maître défourailla son épée. Il aurait embroché son métayer sur-le-champ si le jeune et mystérieux conteur n'avait enfin expliqué sa présence :

— Holà, messire, contenez votre fureur ou dirigez-la vers moi. Je suis le seul coupable de tout cela. Je faisais seulement profiter cette famille de mes connaissances.

— Donner profit à qui ? De quel droit ? Moi, je domine, je combats et je combattrai. J'hérite, j'ai hérité et je dominerai. Je vais te tuer !

— Ne le tuez pas, maître, c'est un petit génie, s'interposa Ladèche. Grâce à lui, nous qui étions pauvres pouvons désormais éprouver de grandes joies...

— Et de plus grandes peines, aussi..., s'excusa le troubadour.

— Oui, mon garçon, reprit Ladèche en oubliant complètement la présence de son employeur. Mais grâce à ton invention, nous pouvons enfin rêver, nous pouvons regretter, nous pouvons atténuer, nous pouvons imaginer, nous pouvons espérer, nous pouvons désirer... Écoute et dis-moi si j'ai bien parlé.

Et le bon Ladèche, en homme libre, se mit à déclamer :

> *Si j'avais de l'argent, je mangerais des loukoums comme un Maure.*
>
> *Si j'avais de la naissance, je donnerais une fête somptueuse pour le mariage de ma fille.*
>
> *Si j'avais une armée, je tordrais le cou aux nobles et je redistribuerais les terres à ceux qui les travaillent !*

En entendant ces mots, Geaidequoi, ulcéré et non grammairien, leva son épée et trucida les deux hommes. Ce furent les premiers martyrs du mode conditionnel. Geaidequoi rentra chez lui, plein d'impératifs, d'indicatifs et d'imparfaits. Le lendemain, devant sa machine à expresso à vapeur, il se sentit vaguement fautif. Il fit envoyer une compensation à la veuve Ladèche. Il maugréa qu'il n'avait pas dû faire ce qu'il fallut faire, qu'il avait fallu faire autre chose que ce qu'il avait fait, sans trouver la bonne syntaxe.

Les années passèrent. Le domaine était maintenant dirigé par le fils Jeveux, plus rusé que son beau-père. En cachette, il apprit à manier ce langage pour en tirer une force nouvelle. Après bien des conjugaisons secrètes, le seigneur alla narguer son métayer.

— Holà, Ladèche, sors de ton taudis !

— Oui-da, mon maître. Que puis-je pour vous ?

— On m'a dit que la moisson ne serait pas bonne cette année.

— P't-être ben qu'oui, p't-être ben qu'non. On peut pas vraiment y dire, mon bon maître.

— Tâche de m'apporter mes dix quintaux de blé annuels, sinon ça va barder pour toi. Autre chose, gredin : ta femme a été malade, elle n'est pas venue accomplir sa corvée de linge. Si tu m'avais prévenu, j'aurais pu faire montre de clémence, mais c'est désormais impossible. Je vais doubler vos heures de corvée.

— Ah, déglutit Ladèche. Vous prévenir ? Mais comment, messire ? J'avions peur ed'vous fâcher...

— Il aurait suffi de signaler cette absence en remplissant un dossier auprès de mon chancelier, avec la photocopie de la carte d'identité, la photocopie de l'arrêt de travail, la photocopie de l'avis de non-imposition...

— ...

— Si tu m'avais donné ce dossier à temps, j'aurais pu t'épargner les pénalités. Là, même si je voulais t'aider, je ne pourrais rien pour toi. Ce n'est pas légal et je n'ai plus accès à ton dossier.

Et, donnant un grand coup de cravache à son cheval, le seigneur partit dans un nuage de poussière.

16

À force d'exciter ma convoitise sur Internet, apparut Lorchus, mon démon personnel, spécialiste en tentations.

— Salut, microbe ! Ça boume ? tonna-t-il de sa bouche fumante.

J'avais des soucis, ce n'était pas le moment pour ses diableries.

— Tu plaisantes ? Depuis quinze jours que tu me tires par la queue, faut pas s'étonner si j'arrive. Pousse-toi de là !

Lorchus posa ses fesses méphistophéliques sur mon bureau. Connaissant bien mon démon, je le prévins. Je ne voulais pas de ses arnaques, ou alors, à la rigueur, un petit objet à vendre, très cher, qu'il cacherait sous un meuble, comme dans ce conte où, cinq minutes avant minuit, le héros met la main sur le palet d'or qu'il doit rapporter dans la grotte magique...

— Ha ! ha ! ha ! Quels enfantillages, ricana Lorchus en ratissant de sa queue piquante ma bibliothèque. Un peu de réalisme ferait du bien à toute cette histoire.

Et de sa main gluante, il me donna une calotte.

— Aïe !

— Rentre-toi ça dans la tête : le travail, c'est pour les débiles. Tes bouquins, c'est de la gnognotte. Mon avocat me le disait encore tout à l'heure (j'adore parler avec mon avocat, il est toujours d'accord avec moi) : rien qui vaille la peine de se donner de la peine.

Lorchus était en veine aujourd'hui, il exsudait du venin de ses lèvres noires. Démoralisée par ses remarques sur mes livres – car un démon sait toujours par où vous affaiblir – je lui demandai ce qu'il me conseillait.

— Il y a de l'argent partout ! Suffit de savoir le trouver. Deviens voleuse. Tu as des dispositions. Je t'ai vue, l'autre jour, tricher en pesant ton courrier aux balances de la Poste. C'est un bon début… mais c'est des entourloupes de nabot. Faut passer au banditisme de grande ampleur.

Je n'allais pas tout de même braquer des banques.

— Qui parle d'user d'un flingue ? Une barre de fer suffit. Repère un étudiant bourré, et bang ! Butin : un portefeuille, un iPhone, une paire de chaussures, un blouson. Suis un brocanteur qui se promène avec des billets plein les poches. Bang ! À toi, les euros. Vole le sac des petites vieilles. Elles ont toujours de l'argent liquide dans leur sac. Ces vieilles peaux n'ont jamais rien pigé à ma géniale invention de la carte de paiement...

Le démon en parlant se grattait les aisselles, des croûtes putrides tombaient au sol. L'atmosphère devint irrespirable. Je poussai un gémissement désapprobateur. Hors de question d'user de violence envers mon prochain. J'héritai d'une seconde calotte.

— Aïe !

— Fais dans le business, alors. Cultive de la marie-jeanne. Dealeuse, ce n'est pas compliqué. Suffit de se faire une clientèle, avec des amis et des amis d'amis. Faut réseauter, y a que ça qui compte, ré-seau-ter. On voit bien que tu n'as pas l'esprit d'entreprise, toujours le salariat, toujours l'assistanat... Incapable de *performer*. Tu ne connais pas le bonheur de faire quatre-vingt-dix pour cent de marge sur un produit. Ce sont de grandes joies. Bon, après, dit-il en se touchant les cornes, après il faut placer l'argent, c'est sûr...

Lorchus se tut un moment, perdu dans d'helvétiques et antifiscales pensées. Je me bouchai le nez et dis que tout ça n'était pas de mon ressort, j'étais une fille honnête. Lorchus me tira violemment par l'oreille.

— Gnnnnn...

— Je n'ai pas fini la leçon, microbe ! Achète du pain en donnant un billet de dix euros, demande la monnaie sur vingt. Ça marche un coup sur deux. Tu passes ton temps à traîner en bibliothèque, dérobes-y des ordinateurs. Tu les revendras à prix cassé. Au bar, fais-moi plaisir, vole le sac des fumeurs sortis s'en griller une...

Lorchus se promenait de long en large, ses pieds fourchus laissaient des traces gluantes sur mon petit plancher.

— Attaque ton prochain ! rugit-il, énervé par mon silence. Libère ton potentiel ! Je ne vais pas non plus tout lucifaire à ta place. Tu penses trouver de l'argent par miracle ? Fais-toi pute, là ça rapporte. Ou mendiante... Ben voilà, on n'a pas envie, on a – comment tu dis, déjà ? – sa dignité.

Mes parents ne m'avaient pas éduquée comme ça. Autant mourir de faim.

— Comme tu veux, mais va falloir faire un choix, ma petite. Ou tu es du côté des *winners* qui rebondissent toujours, ou du côté des microbes sous perfusion qui pleurent à chaque facture et s'enfoncent dans la mouise chaque jour un peu plus. Remets en cause tes valeurs. Libère-toi. L'honnêteté, le partage, la sobriété, tout ça c'est pets de poule. Tu vas écouter ta mère toute ta vie ? Deviens toi-même. *Be yourself!*

La tête entre les genoux, les mains sur les oreilles, je marmonnai que j'allais retourner chez Bertrande dimanche. Lorchus bondit.

— Bertrande ! hurla-t-il, et une flamme violacée sortit de sa bouche. Je hais cette femme. Elle me casse tout mon travail. Je t'interdis d'aller la voir !

Je préférais vraiment qu'il s'en aille. J'avais des livres à lire et un moral à remonter. J'ouvris la fenêtre.

— Tu me prends pour qui, ver de terre ? Tu crois que je vais m'envoler, comme une sorcière sur un balai ? Personne ne me donne d'ordre. Tiens, puisque je suis chez toi, je vais me refaire une laideur...

Et Lorchus se réfugia dans ma salle de bain. C'est devant le lavabo qu'il fut interpellé par mon ami Hector.

— Euh... Monsieur Lorchus ?

— Yep ?

— Tant que vous êtes là. J'aurais besoin de vous. J'ai des soucis et... euh... Je peux vous soumettre une demande ?

— Vas-y, monsieur Euh, la soumission, ça me plaît. [*Shlack ! Shlack ! Shlack !*] J'adore soumettre.

— Je m'appelle Hector.

— Vas-y, Hector, dis-moi tout. J'adore qu'on me fasse une supplique pendant que je me taille les ongles en pointes... [*Shlack ! Shlack ! Shlack !*] Eh bien ? Parle ! J'ai des âmes à torturer qui m'attendent, j'ai pas que ça à foutre.

— Voilà, je suis amoureux d'une charmante voisine, Belinda, je lui plais aussi mais Belinda sort avec un certain Charles-Édouard... et je... je suis affreusement malheureux.

— Donc, tu veux briser ce couple.

— Heu, pas forcément briser le couple, non, mais si vous pouviez me faciliter gentiment les choses...

— Eh ! Oh ! Faudrait savoir, mon p'tit bonhomme, on n'est pas au Parti socialiste, ici. Moi, je fais les choses franchement – crânement. Quand je brise, je brise. Quand je mensonge, je mensonge. Quand je déchire, je rupture, je scène de ménage, je reproche, je manque de confiance et je soupçons. Faut pas me demander d'y aller « gentiment », je ne suis pas Harry Potter ! Je veux bien m'occuper de mettre cette poule dans ton lit pour que tu lui fourres ton étourneau dans la rhubarbe toute ta vie de mortel, mais je le ferai à *ma* manière. Fallait pas me soumettre ta requête. C'est trop tard. Laisse-moi agir, et ne viens pas me chier sur le trident. Quel âge a-t-elle, ta salope ?

— Euh... Je sais pas, vingt-cinq ans, peut-être. Mais vous savez, c'est une sérieuse fille, on fait des concours de gâteaux, elle m'apporte des parts de tarte...

— Ne me raconte pas ta vie, lilliputien, j'en ai rien à cramer. Ce qui m'intéresse, c'est de diviser. Mate un peu : son week-end avec Charles-Édouard vient de tomber à l'eau. Bon, je brouille les ondes de son téléphone, Skype ne fonctionne plus… Voilà, elle est en larmes…

— Je cours la consoler ! Il ne s'agirait pas qu'elle m'oublie. Merci, merci beaucoup, monsieur Lorchus, vous êtes formidable.

Hector courut chez sa voisine. Le diable sortit de la salle de bain.

— Bon, les moldus, dit-il en crachant par terre. Je me casse. *But I'll be back!*

Et Lorchus enfin s'envola, emportant le dossier du CCAS.

17

Le lendemain, l'estomac vide, j'allai vendre des livres chez Gibert, quatre éditions originales et cinq livres de poche. Je pris place dans la file d'attente. Une employée, dont je ne voyais que le haut du visage derrière le guichet, donna plusieurs billets à la personne devant moi. Je priais pour que l'ensemble de mes livres fût racheté. Mon tour vint ; je posai les ouvrages sur le guichet ; la dame bipa les codes-barres sans me regarder, ouvrit chaque livre sans se presser, et les reposa sans rien dire. Elle avait fait deux piles. La première, de trois livres ; l'autre, de six.

— Ça, on ne prend pas, dit-elle en écartant la plus grosse pile.

— Ah… euh… pourquoi ?

Elle répondit avec une amabilité fleuryméro-gienne :

— Celui-ci, on l'a déjà, celui-ci aussi, celui-ci y a une édition plus récente, les autres ça nous intéresse pas. Pour ces trois-là, c'est neuf euros. Je vous paie en liquide ou en bon d'achat majoré de dix pour cent ?

J'avalai ma salive : on a toujours un peu honte.

— En liquide, s'iouplaît.

Elle posa l'argent devant moi et me fit signe de partir.

J'étais déçue. Impossible d'envisager une véritable amélioration de mon régime alimentaire avec 9 euros. Moi qui jusque-là avais été motivée pour remplir mon frigo de manière ultraraisonnée, je me sentis flancher. Neuf euros, c'est trois boîtes de conserve, c'est six cafés noirs et pour certains privilégiés, un plat du jour, mais ce ne sont pas de vraies courses. Je remontai la rue Chenavard jusqu'au Schlecker. Avant de faire des bêtises (car je sentais que j'allais en faire), j'achetai deux boîtes de raviolis, une boîte de Ricoré petit format et un paquet de biscuits. Il me resta 2,50 euros. Je commandai une bière au premier café. En tombant dans mon estomac vide, l'alcool me procura un effet *o* d'euphorie *o* merveilleusement hors de propos.

Je regardais les livres qui m'étaient restés. Il y avait *Mathématique* de Jacques Roubaud, *Le Journal d'une femme de chambre* d'Octave Mirbeau, *Instants de vie* de Virginia Woolf, *Les Aventures de Minette Accentiévitch* de Vladan Matijević, ainsi qu'une anthologie de la poésie française dans une édition (invendable, en effet) que ma mère m'avait léguée et qui datait de ses propres études. J'ouvris le volume au hasard.

Le soleil s'est couché ce soir dans les nuées ;
Demain viendra l'orage, et le soir, et la nuit ;
Puis l'aube, et ses clartés de vapeurs obstruées ;
Puis les nuits, puis les jours, pas du temps qui s'enfuit !

Tous ces jours passeront ; ils passeront en foule
Sur la face des mers, sur la face des monts,
Sur les fleuves d'argent, sur les forêts où roule
Comme un hymne confus des morts que nous aimons.

Et la face des eaux, et le front des montagnes,
Ridés et non vieillis, et les bois toujours verts
S'iront rajeunissant ; le fleuve des campagnes
Prendra sans cesse aux monts le flot qu'il donne aux mers.

Mais moi, sous chaque jour courbant plus bas ma tête,
Je passe, et, refroidi sous ce soleil joyeux,
Je m'en irai bientôt, au milieu de la fête,
Sans que rien manque au monde immense et radieux !

Au crayon était encore marqué ce qu'un professeur avait dit à l'époque : « Soleil couchant, thème romantique » ; « Champ lexical de la jeunesse/vieillesse. »

Je n'avais plus un sou en poche, mais j'avais de quoi manger à mes pieds, dans le sac plastique Schlecker. Je fais des pieds et des mains pour ne pas penser aux lendemains, me dis-je, et je regardai mes mains. Je les posai à plat sur la table, puis commençai avec elles une petite pièce de théâtre. L'index de la main droite attaqua le petit doigt de la main gauche. Il lui donna des coups de phalange jusqu'à ce que le pouce se mette courageusement à le protéger. En réponse, il reçut un uppercut sur l'ongle. Les renforts arrivèrent par la gauche, les trois autres doigts s'abattirent sur le méchant index et l'emprisonnèrent. « Ah ! ah ! Te voilà bien marri », marmonnai-je. L'index gesticulait dans tous les sens. Il finit par s'échapper. Rentré près de ses copains, il en reçut consolation. En face, les cinq doigts se faisaient des bisous collés-serrés. Mais à la main droite, on ourdissait sa vengeance, les ongles s'aiguisaient, la contre-attaque était imminente. L'autre les attendait de main ferme. Enfin, le combat est lancé ! Ongles sur ongles ! Tape sur tape ! Paume sur paume ! La main droite prend le dessus. La gauche se rebiffe...

Je continuai à jouer, jusqu'au moment où je croisai le regard d'un client au comptoir. Penaude, j'attrapai *Le Progrès* qui traînait sur une table.

— Qu'est-ce que vous faites, madame ? me demanda le type.

— Je lis le journal, répondis-je sans aménité.

— Et qu'est-ce qu'y a dedans ?

— Ben, les nouvelles du coin.

— 'Suis sûr qu'y parlent pas de ce qui s'est passé le mois dernier, déclara le type en se rapprochant.

Inquiète de cette incruste, j'opérai mentalement un diagnostic social suivant l'alternative - (ce type me drague) (ce type est fou) (ce type s'ennuie) –, méfiante, mais heureuse malgré tout, après ces journées de solitude, que quelqu'un m'adresse la parole.

— Et que s'est-il passé le mois dernier ?

— Ben, je me suis séparé de ma femme.

— Bonjour, Belinda, tu vas bien ? Je t'ai apporté une part de tiramisu.

— Désolée, souris-je, mais ils n'en parlent pas dans le journal.

— C'est gentil de passer me voir, Hector. Tu veux entrer un moment ?

— Depuis que je suis célibataire, reprit le gars en s'asseyant carrément à ma table, je me sens tellement bien mieux... Mais vous savez ce que c'est...

— Merci. C'est vraiment joli, chez toi. C'est à ton image...

— Comment je pourrais le savoir ? repris-je, un peu déroutée.

— Tu es gentil. Mmmh, délicieux, ton tiramisu. Tu as vraiment des talents de cuisinier, Hector. Tu es un garçon surprenant...

ATTENDEZ, ILS COMMENCENT À ME GONFLER, CES DEUX-LÀ, À INTERVENIR SANS MON AUTORISATION.

On pourrait mettre un peu d'ordre, ici ?

LES TOUCHE-PIPI LITTÉRAIRES À GAUCHE, MON RÉCIT À DROITE

— C'est une recette de ma grand-mère, qui était italienne.

— Italienne ? De quelle région ?

— De Lombardie.

— Ça alors ! Tu sais que je suis née à Padoue ? Mes parents n'ont émigré en France qu'après.

— Ma grand-mère vivait à Padoue ! J'allais la voir quand j'étais petit garçon.

— Quelle coïncidence ! Si ça se trouve, on a joué ensemble au jardin d'enfants...

— Oh, je m'en souviendrais. Une jolie petite fille comme tu devais l'être, je n'aurais pas oublié.

— Tu es gentil de me dire ça, Hector... Je n'ai pas le moral en ce moment.

— Qu'est-ce qui se passe ?

— Je me suis disputée avec mon copain. Tu sais, celui que je t'ai présenté l'autre jour.

— Je m'en souviens bien.

— Je ne le vois pas assez. Je me demande si cette relation à distance est viable. Je suis une fille affectueuse, j'ai besoin de quelqu'un de tendre, quelqu'un pour me consoler le soir et pour planter un clou si je n'y arrive pas.

— ... Moi aussi, j'ai besoin de tendresse...

— Je lui ai dit que je ne pouvais pas continuer comme ça, mais il s'en fiche...

— Ma pauvre Belinda, tu mérites mieux. Tu veux qu'on regarde un DVD ensemble ce soir ?

— Ben ouais, elle était jalouse maladive, tu comprends ?

Ce passage au tutoiement me fit sursauter, mais le type était lancé.

— Au début, elle m'interdisait de regarder les meufs dans les rues, mais ça, tu vois, bon. C'était pas méchant, ça m'amusait qu'elle soit possessive, je trouvais ça mignon. Après, s'y avait une jolie fille dans un téléfilm, elle zappait sur une autre chaîne. Quand elle était pas là, elle m'interdisait de regarder la télé. Elle restait tout le temps avec moi, elle voulait venir quand je sortais avec des potes, elle avait peur qu'on voie des meufs ou même juste qu'on parle de meufs... Elle a commencé à mettre son nez dans mon téléphone, sur ma boîte mail. J'avais beau lui dire que je l'aimais, qu'elle était la plus belle femme du monde, autant pisser dans un violon. Quand je répondais pas à ses appels, elle me laissait un message du type « je vois que t'as mieux à faire qu'à me répondre », et elle rappelait cinq minutes après, me laissait un autre message... Ce qui fait que, sans déconner, tu vas pisser, tu reviens, t'as cinq messages d'insultes sur ton téléphone ! La nana elle était azimutée complet. Elle cassait les assiettes, les verres, une vraie tornade... J'étais zen, tu vois, mais c'est tue-l'amour. Cent fois elle me reposait ces questions : Avec qui tu as mangé à midi ? Pourquoi tu ne répondais pas ? Je pars sur des chantiers, je mange avec mes collègues, putain elle me croyait pas ! Quand on a eu le gosse, ç'a été pire, elle se trouvait moche, elle disait que les autres filles allaient me sauter dessus... Je lui disais que je voulais passer ma vie avec elle, elle croyait que c'était de la manip'... À la fin, je n'avais même plus droit de regarder le programme télé, parce qu'y avait des femmes en photo dedans. Et pourtant, tu vois, le programme télé, c'est pas *Playboy* !

— Non, ce n'est pas *Playboy*.

J'avais posé un autre diagnostic : (homme qui a besoin de parler).

— Ç'a duré cinq ans, je l'ai quittée y a un mois. Je lui ai dit, t'es lourde, lourde comme du béton... Le pire, c'est que je l'ai même pas trompée, je voulais pas lui donner raison, non. Juste, je me branlais devant YouPorn... pardon, madame.

— Y a pas de mal.

— Ah ben, chuis content de vous l'entendre dire... Parce qu'un jour... Le pire, ç'a été ça. Un jour que je me branlais d'vant mon p'tit porno, elle est rentrée par surprise dans l'appartement. Elle avait oublié des papiers ou je ne sais quel balourd. Elle m'a pécho en flag' ! Ç'a été le drame intégral. Alors que, bon, se branler, c'est pas tromper, non ? Depuis que j'ai douze ans je me branle trois fois par jour, ça m'empêche pas de faire l'amour. La pogne, c'est autre chose, et puis paraît qu'c'est bon pour la prostate.

— Je ne sais pas.

— Bon j'l'ai quittée, chuis content. Chuis libre. Quand on est célibataire, on en profite. Je vous l'dis, faut pas rester comme ça à se morfondre. Moi, je peux enfin aller avec les filles avec qui j'ai pas trompé ma femme jalouse... Mais faut pas croire, chuis pas un chaud lapin non plus. Surtout que les nanas, pardon madame, mais vous êtes tordues. L'autre fois je chauffe une gonzesse en boîte, je la ramène chez moi. Elle est hyper-open. Ça monte, on se chauffe, on se chauffe. Alors on va dans la chambre, on se jette sur le lit, et là tout à coup elle s'arrête et me dit : « Attends, ça va trop vite, on n'est même pas amis sur Facebook ! »

18

Nous étions le 9 et mon bulletin de salaire n'était toujours pas arrivé. J'avais mangé les boîtes de raviolis, j'avais grignoté jusqu'à mon dernier biscuit. La faim ne me quittait plus.

Quand je me levais le matin, la tête me tournait. Pour tuer le temps, je sortais marcher, essayant d'éviter certains commerces qui pourtant m'attiraient plus que d'autres, la vitrine du pâtissier du quartier, par exemple, où les éclairs au chocolat et millefeuilles me retenaient plusieurs minutes. Qu'est-ce qu'on fait de jolis gâteaux en France ! Les contempler était un supplice. Parfois l'un d'eux était délicatement retiré de la vitrine par un employé en blouse blanche. La crème d'une tarte tropézienne paraissait alors frémir de plaisir. Ces gâteaux me torturaient tant l'estomac, me rappelaient si cruellement ma faim, qu'il me semblait les regarder non plus avec les yeux, mais directement avec la bouche.

Ces journées se ressemblaient tellement que je suis incapable aujourd'hui de dire combien de temps elles ont duré. L'endroit le moins dangereux était le jardin du musée des Beaux-Arts. J'y errais souvent. Assise sur un banc, je lisais un livre que j'avais apporté. Lire était le seul moyen de m'extraire de mon corps, même si la faim ne s'oublie jamais. Quand mes yeux ne pouvaient plus déchiffrer, je me levais et entreprenais de compter les colonnes, de compter les sculptures, de compter les gens. Je répétais l'opération toutes les heures. À midi, j'entrais dans le hall du musée, je prenais une brassée de tracts culturels pour imaginer toutes les expositions que je ne verrais jamais. C'était l'heure où les employés du quartier venaient manger leur sandwich. Les moineaux picoraient les miettes. Sans hâte, je montais feuilleter des catalogues d'exposition. Je retournais m'asseoir en espérant qu'un couple en colère prendrait place en face de moi, ils auraient parlé fort et j'aurais entendu des bribes de leur dispute, de leur vie. Mais tout était calme. Parfois des touristes faisaient avec leur guide une entrée bruyante sous les arches. L'après-midi voyait s'installer des grands-mères avec enfants, des retraités lisaient le journal, des femmes tricotaient, pendant que l'eau de la fontaine ruisselait sur la nonchalance générale. Quand il faisait beau, plusieurs étudiants des Beaux-Arts dessinaient les sculptures, et je voyais leurs têtes soucieuses dépasser des cartons à dessin aux moirures vertes et noires. Vers la fin de l'après-midi, quelques citadins s'accordaient une pause après leur shopping, posant à leurs pieds des sacs à l'enseigne de magasins franchisés. À dix-huit heures, la fatigue de la journée m'accablait. Au lieu d'une humanité paisible, je ne voyais qu'indigence et laideur. Un sans-logis refoulé par le gardien. Un mendiant comptant les sous récoltés dans le métro. Un vieil acariâtre apostrophant les passants. L'avenir était plein de contraintes et de doutes, de propos égoïstes, de flashs télévisés rebutants et de journées que rien ne transperce. Enfin, le soleil baissait. Les grands-mères, les enfants et les consommateurs étaient déjà partis ; c'était l'heure de l'apéro, la sortie de la crèche, il fallait acheter du pain, il fallait préparer le repas, il ne fallait pas être en retard. Ne demeuraient sur les bancs qu'une demi-douzaine de personnes, les affamés ; comme moi et ce jeune homme qui tirait fixement sur une cigarette de plus en plus mince ; ceux qui n'ont pas d'appétit parce qu'ils vont manger seuls ; ceux qui actionneront eux-mêmes l'interrupteur en rentrant ; ceux à qui personne ne demandera comment s'est passée leur journée ; ceux qui n'ont pas d'enfants à guider par la main, ni besoin de repos après une bonne journée de travail. Comme eux, je demeurais dans le jardin du musée jusqu'au dernier moment, par désespoir, par fatigue, je demeurais, muette compagne des autres ombres observant pareillement les gentianes revenues, sachant obscurément que la contemplation de la nature détourne un moment du poids de l'existence humaine. À dix-neuf heures, le gardien faisait le tour. On ferme ! disait-il en agitant ses clefs et sa misanthropie. Les silhouettes solitaires se levaient. À distance les uns des autres, nous marchions vers la sortie sans nous adresser la parole, de même les ronds dans l'eau s'écartent puis disparaissent.

De ma mansarde, j'avais la chance de voir un autre espace vert du quartier (les autres espaces de la ville, par défaut, sont gris). Je surveillais la floraison des arbres. Des chats de gouttière nourris par de vieilles dames s'y prélassaient au soleil, et mes yeux agrandis par la faim voyaient dans ces boules noires paressant dans les graminées des points de suspension sur une page blanche. Il n'est évidemment pas question d'écrire dans ces conditions.

Au fil des jours, la faim ne se situe plus tant dans le ventre – la crampe devient familière – que dans les yeux, démesurément ouverts, dans les mains et dans les pieds, glacés, irréchauffables, dans la tête, chose flottante et délicate qui souffre au moindre bruit. Les ennuis qui m'avaient rendue insomniaque s'étaient comme dissous dans mon désespoir ; mon esprit, privé des fatigues de la digestion, s'étiolait, la détresse le rendant incapable de toute concentration. J'avais perdu tout espoir de voir ma situation s'arranger, je ne cherchais plus tant à faire un repas qu'à passer le temps ; car il arrive un moment où manger – manger mal, manger peu – ne sert qu'à entretenir la faim, non à l'éteindre ; il arrive un moment où la faim rend tellement avide, tellement transpercé, qu'on est sensible à chaque visage, à chaque souffrance, surtout en ces temps si mornes, si agonisés, si désinvestis, si terriblement prévisibles et terriblement solitaires, si indécemment injustes que nous vivions alors en France. Bientôt ma faim n'eut plus rien de personnel ; elle était comme un diapason qui résonnait de tous les malheurs du monde, puisqu'elle avait tout supprimé, l'espoir comme l'avenir, la chaleur comme le désir, il ne restait que l'offense et l'indignité, d'obscènes déclarations télévisées prononcées par d'obscènes gens de pouvoir, d'obscènes insultes déversées sur la faiblesse humaine. Par mon corps devenu faille, je captais tout cela. Et c'était comme si je n'avais jamais rien fait pour me construire et pour m'en protéger, comme si je n'avais jamais vécu d'amour, comme si ma mère et mes frères n'avaient jamais existé, comme si tout avait disparu dans les cris rauques des chats nourris par des mémés célibataires dont le visage blanchâtre et doux me crevait le cœur.

19

J'étais dans cet état lorsque je reçus un long texto de Martial : « N'oublie pas ce week-end le baptême de Basile. Tout le monde sera là. Maman demande à quelle heure ton train arrive. J'ai prévu une chasse au trésor pour les petits. »

Je relus plusieurs fois le texto. Cette cérémonie m'était complètement sortie de la tête. Basile étant le premier fils d'Élie, je ne pouvais pas manquer ce rassemblement sans déclencher un drame. Je me branchai illico sur covoiturage. fr. Une voiture partait pour Montpellier samedi matin et proposait une place pour 27 euros. Mon découvert en serait aggravé, mais c'est avec une joie fébrile que j'entrai mon code de carte bleue. Le paiement fut accepté. En me forçant à quitter Lyon, ma famille allait me sauver la peau. Puis, passé ce premier mouvement de joie, je me dis qu'être ici ou à Sullac n'avait pas tant d'importance. Enfin, l'idée de partir m'affola, tout ce mouvement, toutes ces routes… En serais-je seulement capable ? Je relus le texto.

Ainsi, Martial avait prévu une chasse au trésor.

Gaston et lui en organisaient souvent pour les cinq petits. Elles commençaient par une séance de déguisement. Avec de vieux vêtements, nous nous transformions en farfadets ou en cosmonautes, tout à coup arrivait un message sur une flèche tirée depuis les profondeurs du bois. Rédigé en morse, il indiquait un nombre de pas à faire à droite, puis à gauche, après le grand chêne aux choucas. De là il fallait creuser sous le tilleul pour trouver un message dissimulé dans une boîte en fer ; celui-ci nous disait de suivre les bouts de laines de couleur, qui nous amenaient dans une clairière où Martial nous attendait, méconnaissable. Il devenait un mystérieux prince errant. Nous passions un parchemin au-dessus d'un feu, y apparaissait une formule magique. On devait empêcher la capture de la reine. Le jeu continuait chez mes grands-parents. Ceux-ci habitaient à deux collines de chez nous, dans une ferme avec des chevaux qui paissaient dans les prés au printemps et l'hiver chauffaient l'écurie encore accotée à la cuisine. Dans l'étable, Gaston, grimé en ogre gentil, nous faisait passer une ultime épreuve. Pour finir, nous courions au grenier, où dans un coffre poussiéreux nous trouvions des chocolats et un message de félicitations. Suivait un goûter succulent dont mamie avait le secret. Nous rentrions *fourbus*, comme disent les fabulistes.

Mon enfance semblait devoir continuer ainsi, sans fin et sans douleur, jusqu'à un jour précis. Je pouvais avoir neuf ou dix ans. Il était midi. Nous étions à table. Mon père, qui d'habitude parlait peu, et encore moins de lui, commença un monologue sombre. Dans sa bouche, des mots comme « humilié », « bureau », « fatigue », revenaient en boucle. Je vis ma mère se décomposer. L'atmosphère, de sonore et gaie, était devenue pesante. Mon père parlait sans nous regarder, maman s'était tournée vers lui, tétanisée par cette perte de contrôle, et pourtant tendre encore, déchirée par sa peine. Mon père dit alors : « Je suis un homme fini, je suis un homme fini… » Et, chose horrible et formidable, il se mit à pleurer.

À côté de moi, Tom pleurait aussi, suffoqué par la tristesse de papa. Soucieuse d'amortir le choc, notre mère prit la parole dans un mélange de solennité et d'agacement : « Ce n'est rien. Nous, les adultes, on a tous des soucis, votre père a des soucis, voilà tout. » Elle dit encore : « Tout le monde a des soucis. C'est normal. » J'étais perdue, trop jeune pour comprendre, à la différence des grands qui regardaient leur assiette, pétris de honte. Nous mangions sous la tonnelle du grand parc. Une larme se détacha de la joue de mon père et tomba sur le sol. Alors un vent terrible se leva. Dans un souffle long comme le destin, il emporta le toit du château, il emporta les tilleuls, il emporta les farfadets et les soirées crêpes ; les boiseries se fendirent, les cheminées disparurent, les miroirs s'effacèrent, les chevaux s'échappèrent du pré, les chênes et les pins chutèrent avec fracas ; la terre trembla plus fort, mes frères grandirent ; disparurent les chasses au trésor, les petites souris de la dent de lait, les pics épeiches et les choucas ; les baisers de ma mère ne parvinrent plus à guérir ma fièvre adolescente, sa beauté se fana, ma grand-mère mourut ; la nuit, les chouettes ne hululaient plus, à la place j'entendais le bruit de la circulation sur la route départementale.

Quand la terre eut fini d'absorber la larme de mon père, les barrières du parc qui ceignaient mon enfance s'étaient effondrées. Ne restait qu'une terrasse où mangeait une famille. Je ne vivais pas dans un vaste domaine aux greniers magiques, j'étais une enfant de classe bourgeoise dans une périphérie rurale d'un vieux pays industriel. « C'est normal », avait dit ma mère. J'étais une enfant normale allant dans une école normale, j'avais des notes normales que je ramenais à des parents normaux qui signaient normalement mon carnet normal, je mangeais normalement un repas normalement bon, je me couchais à une heure normale, je jouais à des jeux normaux, dans ma chambre normale je m'amusais normalement, surveillée par des parents normaux, qui nous aimaient normalement. Quelques années plus tard, mon père tomba malade et mourut. Le tabac. La fatigue. C'est normal.

DEUXIÈME PARTIE

Où sont racontées la suite des aventures de l'héroïne,
ses conversations avec sa mère et ses tentatives
pour que les autres personnages
dotés d'obsessions lubriques n'entravent pas
le déroulement de nouveaux récits fort pathétiques
et de nouvelles digressions fort polémiques.

partout

partout

partout

partout

partout

partout

partout

partout

partout

partout

partout

Des voix partout.
Pas assez d'oreilles,
pas assez d'amour.

ROBERT PINGET

partout

partout

partout
partout

partout

partout

1

Dans la covoiture qui me descendait à Montpellier, je partageais la cobanquette avec un garçon de vingt ans, Dylan, amateur de serpents. Il me tint à peu près ce langage :

— Faut mieux commencer par un boa ou un python, c'est plus facile qu'avec une élaphe. J'ai fait une formation CFA en animalerie à Châteauroux et j'ai commencé avec un python, maintenant j'ai une élaphe et deux pythons, c'est trop bien. Je leur donne des souris vivantes. Une tous les quinze jours. Tu veux voir la vidéo ? Mate quand il la bouffe. T'as vu ? C'est trop beau comme il l'attaque ! Mate cette détente ! La souris, elle a aucune chance. C'est trop beau comme il saute sur elle. Il l'étouffe en cinq secondes, en dix minutes maxi il l'a bouffée. Mate, lui c'est Half. Il mange du vivant. L'autre, c'est Jeyson, je lui donne des souris congelées, parce qu'une fois il s'est fait mordre par une souris, depuis il a peur, ce con, alors je lui donne des souris congelées. Ça s'achète partout et ça coûte moins cher. Bon, la première fois que ma copine en a vu dans le congélo, je me suis fait engueuler grave. Évidemment, faut la décongeler. La veille au soir je mets la souris dans un gobelet, et le gobelet dans l'eau chaude ; le matin je lui donne à bouffer. L'est content mon Jeyson... Bon, souvent, ce que je fais, je frotte la souris congelée sur un rat vivant, oui parce que j'ai un rat aussi, ça donne au congelé une odeur plus attirante, une odeur fraîche, tu vois. C'est plus sympa pour le serpent. L'est carnivore, faut qu'il se fasse plaisir. Au pire, tu casses le museau de la souris, tu perces le crâne avec une aiguille pour que le sang il pointe un peu. Mais, franchement, pour la bouffe, c'est plus facile de passer du mort au vivant que du vivant au mort. Du vivant au mort le serpent il râle, alors que du mort au vivant c'est la fête. Mate comme il est trop beau sur la photo. Mais non, ça mord pas. Un python, c'est gentil comme tout. C'est sûr, c'est pas comme un chien qui va aboyer quand tu arrives, mais au début j'étais tellement fan que je regardais la télévision avec lui sur mes genoux. C'était trop bien. Bon, c'est vrai, mon élaphe d'il y a trois ans, elle a pété un câble, un jour elle a commencé à taper contre la vitre en montrant les dents. Mais c'est hyper-rare, d'ailleurs elle est morte, elle était trop stressée. C'est sensible au stress, les serpents. Mate, celle-là c'est Irouk. La pauvre, elle serait morte si je l'avais pas récupérée. Une histoire de dingue. J'étais à la gare de Châteauroux, je croise un type qui me dit Toi je te connais, je lui dis Moi je te connais pas, il me dit Ben si, t'as des serpents, je lui dis Ah ben, comment tu sais ? En fait, le type, il avait causé avec moi à l'animalerie de Châteauroux, je m'en rappelais pas. Et là il me dit Moi aussi j'ai des serpents, d'ailleurs je les ai là, avec moi, tu veux les voir ? Ils sont dans le train. C'était en décembre ! Tu te rends pas compte, mais un serpent ç'a besoin de chaleur, au froid, ça crève. Alors on va dans le train et là il ouvre son sac de voyage, un sac ordinaire, il y avait quatre pythons dedans. Les pauvres, ils étaient tout raides, tout froids, ils allaient crever. Parce que le mec avait couché dehors, une histoire chelou. Il me demande Tu veux pas les récupérer ? Mais je pouvais pas prendre quatre bêtes, alors j'appelle un pote je lui dis Tu veux pas deux pythons ? Il me dit O.K. pour un seul, alors je dis au type Je t'en prends deux. Je les ai mis directement contre moi, dans ma veste, pour les réchauffer. Au bout d'un moment, les serpents ils sont allés mieux, ils ont commencé à se balader, je les ai remis dans le sac. À la maison, ils se sont planqués dans le trou du terra, ils n'ont pas mangé pendant six mois, les serpents qui ont vécu un stress ils font toujours ça. Après coup, je me suis demandé s'il ne les avait pas volés, ces serpents. Quoique non, c'est impossible, il ne me les aurait pas donnés. Mais le vol d'animaux de ce type c'est courant, y a un trafic. Surtout sur les oiseaux exotiques, style perruches. Quand je travaillais au Jardiland, un matin, truc de ouf, on retrouve la porte du magasin fracturée par des cambrioleurs. On fait le tour du magasin, mais rien n'avait été volé, c'était bizarre. Et v'là qu'au rayon oiseaux, on trouve la cage de la perruche ouverte... et la perruche sagement posée sur sa cage, qui nous attendait. Je m'approche du piaf et là je vois une flaque de sang en dessous. Et tu sais ce qu'y avait au milieu de la flaque de sang ? Un bout de doigt ! Je te jure : un bout de doigt, une phalange… Tu sais pourquoi ? Le bec d'un piaf comme ça, ç'a plus de force que la gueule d'un crocodile. Le cambrioleur, il s'est fait couper le doigt par la perruche pendant qu'il voulait l'attraper. Ç'a dû être un carnage ! Tu m'étonnes que le mec il soit parti. D'un autre côté, c'est mal barré pour lui, la police va le retrouver facilement. Parce qu'en laissant un bout de doigt, le mec, il a aussi laissé ses empreintes digitales…

2

Le voyage n'en finissait pas, les autoroutes succédaient aux autoroutes, le goudron au goudron, les émissions radiophoniques débilitantes aux publicités débilissimes. Il fallut sortir de l'A9, il fallut prendre des ronds-points, il fallut attendre que le feu passe au vert. Je donnai le code BZUTG8 aux propriétaires pour qu'ils l'entrent sur leur compte Blablacar, ce qui les enrichirait de 27 euros, la vie est pleine d'actions sans intérêt auxquelles les adultes ne songent pas lorsqu'ils lancent leur *projet d'enfant*, acceptant de fait que bébé risette passera plus de temps à apprendre à conduire une voiture ou à monter un dossier de prêt immobilier qu'à approfondir moralement la notion de justice, esthétiquement la notion de beauté, politiquement, l'égalité.

Moi, j'aurais préféré arriver en train, mais c'était devenu deux fois plus cher. On me laissa derrière la gare. La voiture s'éloigna en hurlant, se recollant à l'immense masse des voitures pareillement polluantes. J'étais à bout de nerfs quand, sac au dos, je remontai la rue de Maguelone. Il était dix heures du matin. C'est alors qu'en levant les yeux je reconnus les façades blanches de la place de la Comédie, et, au-dessus, pur et lumineux, le ciel bleu montpelliérain. Dans les autres pays, le bleu, eh bien, c'est le ciel, on n'a pas idée que l'on peut marcher dedans. Mais ici le bleu occupe tout, remplit tout. On boit du bleu, on respire du bleu, on fait une cure de bleu. Alors, au plus profond de moi-même, une horloge cachée, silencieuse, et pourtant jamais éteinte, refit entendre son tic-tac. Des bulles de bonheur montèrent jusqu'à mon visage, et toute ma misère disparut dans ce bleu ; à croire qu'il existe à Montpellier un bleu originel, qui se diffuse ensuite dans le ciel de France sur un mode moins puissant, moins pur et moins réverbérant que ce bleu surplombant les immeubles de la place de la Comédie ; à croire que tout ce que j'avais pu vivre à Lyon n'avait jamais été qu'une dégradation de la tonalité originale, que j'avais touchée ici, et qui avait pour toujours coloré ma vie.

Je reconnus aussi les signes du ralentissement interne propre au retour sur les lieux de son enfance, cet amortissement qui nous fait perdre toute indépendance, comme si la volonté individuelle perdait son pouvoir ou que notre statut d'adulte s'effritait au contact de lieux trop familiers. Dans la maison de Sullac, je savais que les heures allaient se fondre dans un *grand machin tout mou* qui laisse, à la fin de la journée, la sensation de n'avoir rien fait. Anticipant ce phénomène, j'ôtai ma montre du poignet.

On m'avait dit « quelqu'un viendra te chercher en voiture ». J'espérais que ce serait ma mère. J'avais envie de passer avec elle un moment privilégié avant qu'elle réserve ses câlins à ses petits-enfants, plus légitimes que moi pour dire « allô maman bobo ». J'avais envie de me faire plaindre. J'avais aussi, comme tout enfant, un besoin vaniteux de me glorifier de mes exploits, en l'occurrence raconter modestement combien ç'avait été dur de tenir plusieurs semaines avec si peu d'argent, car je ne doutais pas que ma mère verrait à ma figure que j'avais faim. Une voiture s'approcha. C'était la sienne. Elle se gara. Quelqu'un ouvrit la portière. Quelqu'un sortit de la voiture.

Alors je vis ma mère, la vraie. Elle sortait de chez le coiffeur, remarquai-je.

— Bonjour, ma belette, tu vas bien ?

Elle me fit trois baisers sur les joues. Je la serrai dans mes bras. Elle sourit et dit :

— Tu as l'air en pleine forme !

Sans doute, c'était mieux ainsi. Cette déception aurait pu me rendre amère, mais savoir que j'allais retrouver une nutrition normale, voire excessive, fit taire mon orgueil et me permit, mirmidon mirmondaine, d'oublier assez vite cette encoche faite en mon cœur. J'étais venue, c'était fête.

3

— Monte vite, belette, tout le monde nous attend.

Centre-ville, faubourgs, routes, village, portail, garage. J'entrai enfin dans la maison. Je posai mon sac. Tout le monde était là : Martial et son épouse Catherine, leurs filles Éliette, Ellébore et Haïssine ; Gaston et sa copine Stéphanie, leurs jumeaux Kia et Kitu, ainsi que Enzo ; Virgile et Nicole, leur petite Albertine ; Kazan était venu avec sa femme Castafiore et Arthur, Benoît et Jacquot, mes trois plus grands neveux ; Élie et Maya entouraient d'attentions le dernier-né Basile ; il y avait Tom et sa nouvelle copine (son prénom m'échappe) ; il y avait des odeurs de café et des bébés en pleurs, des vestes entassées, des purées de carottes et des cravates à nouer, des pelures de mandarines et des jouets à rendre à la petite sœur, des voitures garées dans le jardin et des projets d'aller marcher après le repas.

Mes frères vinrent m'embrasser.

— Comment tu vas ? Tu as failli nous oublier, à ce qu'il paraît !

— Alors, la Lyonnaise, pas trop débordée ?

Je répondis que oui, ça allait, il faisait beau à Lyon, le printemps était arrivé. Je ne voulais pas m'étendre. La seule chose qui me tracassait vraiment, c'était de savoir si Hector allait bien relever mon courrier. Je lui avais laissé le double de mes clefs, cinquante centimes pour la photocopie de mon bulletin de salaire, ainsi qu'une enveloppe timbrée à l'adresse de Pôle emploi ; mais, comme je ne pouvais pas parler de ça sans déclencher des mines sombres, je parlai d'autres choses, je bottai en touche, je semelai en coin, je fis diversion, j'éludai les sujets graves, je donnai le change, je changeai de sujet, je fifoulai dans le flou, je vis une issue, je sus m'en sortir, je sortis une blague, je blablatai un truc, je truculai une miche, je rapilassai les oustilles, je réformai la canicule, je décoinçai une tiche, je libérai la calichane, je diversifiai la trinitaire, je décalibrai les stations, je déformai la mandibule, j'anecdotiquai dans la couture, je modulai la déraison, je renouvelai la juvamine, je fluctuai dans le décile, je remaniai la glycine, je déguisai l'alter ego, je respirai la ventoline, je modifiai la chambardine, je glorifiai la mutation, je barbotai dans le trouble, je pinaillai le tentacule, je témoignai des zozottiers, je donnai dans le leurre, je démembrai le pointillé, je rigotai la suspension, et chaque fois il me fallait trouver une autre idée, car, comme vous le savez, j'ai six frères et chacun me demandait :

— Qu'est-ce que tu racontes ?

— Quoi de neuf ?

Rien de neuf, hélas.

Lorsque j'avais perdu mon boulot, ç'avait été un choc pour toute la famille. On m'avait entourée d'attentions. J'en avais, alors, des choses à raconter. Mais au fil du temps, comme je venais toujours manger avec eux à Noël, on me laissa tranquille. Le monde ne s'était pas écroulé. (Mais le monde ne s'écroule jamais. Il y a à ce propos une très belle phrase de Paul Nizan dans *La Conspiration* : « Ils se disaient qu'il fallait changer le monde. Ils ne savaient pas encore comme c'est lourd et mou le monde, comme il ressemble peu à un mur qu'on flanque par terre pour en monter un autre beaucoup plus beau, mais plutôt à un amas sans queue ni tête de gélatine, à une espèce de grande méduse avec des organes bien cachés. ») Le fait que je me résigne à mon chômage, que je m'y installe durablement, avait éteint leurs inquiétudes au lieu de les aiguiser. Au fond, ma situation s'était normalisée. Rien de nouveau ; donc, plus de danger. J'étais là comme ils m'avaient toujours vue. La même tête. La même voix. Seul un révélateur chimique d'une composition inconnue aurait pu rendre visible la faim qui me tenaillait. Ce que ma famille ignorait, c'est que le pire du chômage n'est jamais le début. Le pire, c'est l'installation dans cette idée, justement, que *rien de nouveau* n'arrivera plus – sauf ma rétrogradation vers l'ASS. Mais cette étape, survenue bien après mon licenciement, passa inaperçue dans la famille. Beaucoup de catastrophes administratives passent inaperçues, quand bien même elles provoquent les pires tremblements dans les foyers ; je me demande même si la condition de l'Homme moderne n'est pas d'être vulnérable aux formulaires. Sans doute est-ce un progrès par rapport aux époques où la météo terrorisait les masses. Aujourd'hui, les Grandes Famines surviennent par l'arbitraire de papiers arrivant, ou n'arrivant pas, dans les boîtes aux lettres.

— Alors, ça va bien dans ton appart ?

— Ça boume ?

Les retrouvailles entre vingt-cinq personnes qui s'aiment sont très bruyantes. Ma mère parlait. Mes frères parlaient. Ah ! qu'est-ce que ça parle, dans ma famille ! Ça parle, parle et reparle. Ça parle bis et parle ter. Ça parle forte, ça parle piano. Ça parle beau, ça parle bas. Ça parle, déparle et pseudoparle. Ça parle à bâtons rompus et ça parle à bon escient. Ça parle à mi-voix, ça parle à demi-mot. Ça parle d'abondance, ça parle dans le désert. Ça parle pointu, ça parle haut. Ah ! qu'est-ce qu'ils parlent ! Ah ! Oh ! Ça parle chiffons et ça parle franc. Ça parle savamment et sans ménagement. Ça parle dans sa moustache et ça parle dans sa barbe. Ça parle entre ses dents, ça parle avec aisance. Ça parle à mots couverts, ça parle à tort et à travers. Ça parle comme dans un livre. Ah ! qu'est-ce qu'ils parlent ! Ah ! Oh ! Eh ! On n'est pas des gens du Midi pour rien. Ça tchatche. Ça discute. Ça parlote. Ça se chamaille. Ça rigole. Ça s'interpelle. Ça s'apostrophe. Ça se parenthèse. Ça se patois. Ça se chuchote. Ça se confie. Ça se discours. Ça en dit long. Ça fait des phrases et des apartés. Ça parle comme un sourd et ça parle aux rochers. Ah ! qu'est-ce qu'il parle, Martial ! Et qu'est-ce qu'il dit, Élie ? Ils déblatèrent, s'exclament, s'expriment et s'entretiennent, ils murmurent, marmonnent, bavardent, ils jargonnent, ils communiquent, ils dialoguent, ils jactent, ils causent et ils dissertent. Ah ! Ils ne se le font pas dire ! Comme ils sont éloquents ! Qu'est-ce qu'elle dit, maman ? De quoi il cause, Kazan ? Ils parlent de la pluie et du beau temps. Ils se disputent sur des pointes d'aiguille. Ils appellent un chat un chat. Ils dévident leur écheveau. Ils se disputent la chape de l'évêque. Ah ! Oh ! Quels dialogues ! Quels échanges ! On se répond et on se rétorque. On s'exclame et on se récrie. On se reprend et on renchérit. On ajoute et on dit. On s'interrompt et on reprend. On réplique et on s'étonne. On bredouille et on maugrée. On rugit et on braille. On s'enquiert et on s'esclaffe. On grogne et on bougonne. On s'expose et on s'interroge. Et tout cela avec des enfants dans les pattes, qui eux aussi ont le don de la parole. Autant vous dire que ça donnait des conversations qui – pour moi qui sortais d'un ascétique face-à-face silencieux avec mon unique et solipsiste moi – provoquaient un fâcheux tournis.

Car si je mollybloomise ce qui se disait mot à mot, cela donnerait : *J'ai refait l'isolation de la maison parce que l'hiver tu sentais le vent passer sous les fenêtres Éliette ne monte pas sur le meuble Et ça ne t'a pas coûté trop cher Non parce que Éliette tu descends tout de suite ou je me fâche j'ai dit Parce que j'ai fait travailler un collègue qui se lance et il m'a fait Voilà c'est pas bien compliqué à comprendre Pourquoi il faut toujours se fâcher Qui est-ce qui va bouger la voiture les grands ils ne peuvent pas sortir la table de ping-pong Tu y vas Kazan comme ça tu récupères les dragées Ce collègue il m'a fait un prix on a pu discuter précisément de l'aménagement Donne-moi ça et va jouer dehors Dehors chéri tu vois bien comme ils sont bien habillés ils ne peuvent pas sortir ils vont se salir Franchement les artisans moi je me méfiais ça m'a réconcilié tu vois Chéri tu as ton téléphone elle veut jouer avec Lui le type était hyper-sérieux il m'a proposé une isolation D'accord mais pas longtemps Alors Kazan tu les bouges ces voitures Pourquoi Enzo peut le faire Tiens c'est quoi ce tableau maman C'est un cadeau de Cathy Ah je ne savais pas Ça date de Noël Ils veulent faire du ping-pong avant de partir ils ne peuvent pas rester tranquilles cinq minutes Moi quand j'ai refait mon entrée de garage je me suis pris la tête avec le chef de chantier Kim coupe le son tu nous casses la tête Il faisait monter le devis Il écoutait rien à ce que je voulais Kim coupe le son j'ai dit.*

Je m'éclipsai à la cuisine pour me bâfrer de tartines de pain frais. Elles tombèrent, pouf, dans mon estomac, telles des bouées de sauvetage jetées du bateau vers l'homme à la mer. J'étais tranquille pour une paire d'heures. Il était temps, toute la tribu partait à l'église pour le baptême du fils d'Élie. À ce propos, un peu de silence, svp.

----

inri

🗣

------- ------- ------- ------- -------

Basile, je te baptise au nom du Père, du Fils...

------- ------- ------- ------- -------

/|\

----

et du
Saint-
Esprit

----

amen

Au retour, on se mit à table et enfin je MANGEAI.

Maman, aidée de Martial, avait préparé tout un tas de choses. On commença par de la laitue agrémentée de tomates séchées du jardin ; une salade d'oranges à l'italienne comme je les adore ; un velouté d'oignons parce que ça nettoie ; un verre de vigné-lourac pour accompagner la salade ; des aubergines en tranches parce que ça fait longtemps que Catherine en parle ; des poivrons grillés aux pignons parce que les pignons c'est bon ; un corbières de derrière les fagots ; une bouteille de côte-rôtie qu'on garde pour les grandes occasions ; un chapon farci pour avoir quelque chose de solide dans le ventre ; une purée de panais pour faire goûter les vieux légumes aux enfants ; un pain au maïs pour les allergiques au gluten ; une omelette aux épinards parce que c'est vite fait ; un reste de boudin noir ; un gratin de quenelles pour ceux qui ne mangent pas de viande ; du risotto pour ceux qui ne mangent pas de poisson ; du morbier et de la fourme d'Ambert de chez le nouveau fromager ; du pélardon et de la tome de brebis parce que le lait de vache c'est mauvais ; du pain au sésame parce qu'il avait une bonne tête ; une tarte Tatin pour écouler les pommes de la voisine ; une flône parce que l'aînée des filles aime ça ; une charlotte aux fraises parce que tous les enfants n'aiment pas la flône ; des yaourts à la framboise pour goûter la confiture ; des meringues faites maison ; un gâteau au yaourt parce que les choses simples sont les meilleures ; de la tarte aux abricots pour le plaisir ; un clafoutis aux cerises parce que c'est la saison ; des truffes au chocolat pour accompagner le café ;

des dragées parce que c'est tout de même un baptême ; des After Eight par gourmandise ; des Bastogne parce qu'ils étaient en promotion ; des orangettes parce que c'est bête de n'en faire qu'à Noël ; des prunes parce qu'un fruit, à ce stade-là, ça s'impose ; et une petite poire pour digérer, ça ne se refuse pas.

Au milieu de ça, la jactance générale s'attardait sur des sujets consensuels. Les dernières inondations. S'il faut forcer les enfants à s'habiller les matins de vacances. À quel point le tourisme de masse est une calamité. Qu'importe ce qui se disait, l'essentiel était que chacun mette en pot une phrase, pour le plaisir de reconnaître une intonation et de se savoir bien ensemble ; c'est ce qui s'appelle, paraît-il, la fonction phatique du langage.

4

L'après-midi se passa en farniente faussement siesteux. De mon ventre sortaient des borborygmes qui déclenchaient le rire familial. Le grand Benoît montrait des tours de magie à ses petits cousins, ceux-ci admirèrent un moment, puis, comme tous les enfants, se lassèrent. Ils envahirent le jardin pour des tours de balançoire et se lassèrent de nouveau. Ils rentrèrent dans le salon faire un puzzle, ils se lassèrent. Enfin, ils me demandèrent une histoire. Je n'avais pas pu apporter de cadeaux, mais écrire une histoire, c'était dans mes cordes. Virgile proposa de m'accompagner à la guitare. Nous avions à peine fini que ma mère cria :

— À table !

C'était déjà l'heure du dîner.

— Vous devriez coucher les enfants, ajouta-t-elle, histoire qu'on ait la paix.

La troupe entière monta à l'étage. Les petits se mirent, mirmondon mirmondaine, dans une seule chambre, formant un troupeau aux grands yeux curieux. Éliette était sous la couette. Kitu et Kia écoutaient sous les draps. Enzo ne disait plus un mot. Le moment ne pouvait être mieux choisi. Je commençai :

LE MANGE-CONSONNES

Un jour, dans une paisible jungle d'un petit canton du Massachusetts, arriva, on ne savait d'où, un étrange animal qui avait pour nom Mange-Consonnes.

L'animal avait trois cornes sur un gros museau très long. Il avait treize griffes sur quatre pattes avant, neuf griffes sur les deux pattes arrière. Ses dents étaient si nombreuses que sa langue baveuse ne pouvait les toucher toutes. Il courait aussi vite que la gazelle, il se baignait comme un poisson, il dormait en ronflant si fort que les arbres frémissaient de toutes leurs feuilles. Ses oreilles étaient remplies d'une forêt de poils. Quand il lâchait un pet, le vent se levait ; quand il nageait, c'était un raz-de-marée. Il était vraiment affreux !

s

Et pourtant, il ne mangeait personne, ce brave monstre. Il n'attaquait pas les enfants, il ne prenait pas le terrier des lapins ni ne gobait les œufs des poules. Mais il avait un défaut – et quel défaut ! – qui inquiéta très vite les habitants de la jungle : il faisait ses repas des consonnes de tous les animaux qu'il croisait. D'un coup de dent, clac ! il les privait de leur première consonne. Il engloutissait les *t*, les *c*, les *l* des fauves du canton. Il se pourléchait des *h*, des *r*, des *b*, des *d* des oiseaux imprudents.

t

Si bien qu'il n'y eut bientôt plus, dans cette jungle du Massachusetts, que

s

ions affamés,
igres féroces,
aguars énervés,
hats sauvages,
hiens méchants.
Dans les airs, on vit des nuées de
auterelles dépitées,
ésanges affolées,
oustiques piqueurs,
apillons jaunes et bourdonnantes ouches.

Le Roi Ion était le plus humilié de tous. Un jour, il convoqua tous les animaux au sommet de la montagne.

Mais, à cette réunion au sommet de la montagne,
on ne vit pas l'ours,
on ne vit pas l'otarie,
on ne vit pas l'âne,
on ne vit pas l'agneau.

Ils s'en fichaient bien, l'esturgeon et l'étourneau, de cette histoire de consonnes.

Quant à l'abeille, elle n'était pas venue non plus.

Par contre, le hacal arriva, furieux, suivi par le oyote et la pernicieuse yène. Le heval, le hevreuil, la hèvre, le himpanzé s'étaient regroupés. L'éron et l'ippopotame restaient derrière. Dans la rivière, on voyait une grosse ruite et un oujon tout petit petit.

Le Roi Ion prit la parole :

— Mes amis, ça ne peut plus durer ! Depuis l'arrivée de ce *machin* dans notre paisible contrée, nous n'avons plus la paix. Je vous ai réunis aujourd'hui pour que nous trouvions une solution. Moi, je ne vous cacherai pas que je suis pour la manière forte. Il faut expulser ce sinistre personnage. Nous étions bien mieux dans mon royaume sans lui…

Le fauve eut un soupir triste.

— Maintenant, quand je les pourchasse, les antilopes rient de moi, et ça me décourage… J'en perds l'appétit.

La uèpe bourdonna à son tour :

— Et moi, de quoi j'ai l'air sans mon *g* ? Personne ne me reconnaît ! Je pique et je vole, rien n'y fait !

Le corpion crissa :

— Sans mon *s*, j'ai perdu toute ma noblesssse…

Une ache pleurait :

— On mmmmeuh prend pour un outil de bûcheron, moi qui ne mmmmange que des fleurs !

Un heval s'avança et dit :

— Notre oi… pardon, notre roi a raison. Nous devons chasser cet intrus. Si nous ne faisons rien, bientôt il s'attaquera à d'autres consonnes que nous portons sur nous. Et je marcherai sur des abots. Avec sur mon dos une rinière. Et, derrière, j'aurai quoi ? Une u… ueue ?

Les animaux votèrent l'expulsion du monstre. Mais comment procéder ? Dès qu'ils s'approcheraient de lui, il leur arracherait des consonnes… Or, ni le hat ni le hien, déjà bien diminués, ne voulaient finir cul-de-jatte.

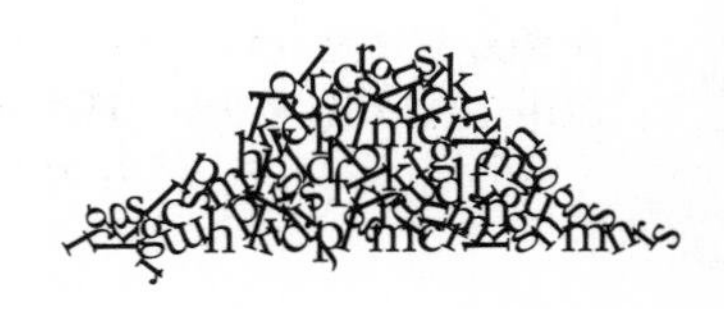

À ce moment-là arriva un zèbre, comme touzours très z'en retard. Il dit z'avec fougue :

— Mes z'amis, qu'avez-vous ? Z'étais en train de me baigner dans la rizière et ze découvre zette réunion. Puis-ze vous z'aider ?

En entendant cela, les animaux comprirent que le *z* n'était pas au menu de l'affreux monstre, ça non ! Jamais il n'avait pu avaler un *z*, trop tordu sans doute. Cette découverte les réjouit. Le hat, malin félin, proposa que tous prennent des *z* pour se protéger. Le zèbre, heureux d'être utile à ses amis, accepta. La troupe s'arma ainsi, puis s'approcha du Mange-Consonnes. Tous crièrent :

— Nous sommes les zanimaux, nous z'allons te chasser !

En voyant arriver cette foule hostile
(même s'il n'y avait
ni l'âne,
ni le ouistiti,
ni l'iguane,
ni l'étoile de mer,
ni l'alouette,
ni le yack),
le Mange-Consonnes eut une très grosse frayeur et se mit à pleurer. Les zanimaux, surpris, s'arrêtèrent. Aucun n'eut le cœur de le frapper. Le monstre, assis sur son énorme derrière, gémit :

— S'il vous plaît, ne me chassez pas ! Moi, ce que je veux, c'est des camarades avec qui jouer. Partout où je suis allé, on s'est moqué de moi, parce que je suis très laid. Alors, pour ne pas désespérer, j'avale des lettres. Le soir, elles me tiennent chaud dans le ventre, ça me rend moins triste.

Tout en parlant, le Mange-Consonnes hoquetait. Et sortirent de son abominable gueule des *t*, des *k*, des *j*, des *s*, des *m*, des *b*, des *v*, des *h*, des *c*, des *r*... Tandis qu'il parlait, le coyote retrouvait son allure, le vautour reprenait plume, le lion n'avait plus honte, et le chien, brave bête, s'attendrissait.

L'étourneau et l'ours proposèrent au gentil monstre de lui apprendre à manger autre chose. Le Mange-Consonnes accepta. Tout le monde s'embrassa.

Mais lorsqu'on voulut rendre ses *z* au zèbre, celui-ci s'exclama :

— Des *z*, z'en ai plein. Ze vous les z'ai donnés, ze ne les reprends pas !

C'est pour cette raison que les enfants maladroits, les parents rigolos et les écrivains pas sérieux écrivent parfois les zanimaux, avec un *z*... En souvenir de cette mésaventure, qui s'est bien finie pour tout le monde, dans le Mazzachuzetts.

... zzzzzzzzzzzzzzzzzzzzzzzzzzzzzzzzzzzzzzzzz
zzzzzzzzzzzzzzzzzzzzzzzzzzzzzzzzzzzzzzzzzzzz
zzzzzzzzzzzzzzzzzzzzzzzzzzzzzzzzzzzzzzzzzzzz
zzzzzzzzzzzzzzzzzzzzzzzzzzzzzzzzzzzzzzzzzzzz
zzzzzzzzzzzzzzzzzzzzzzzzzzzzzzzzzzzzzzzzzzzz
zzzzzzzzzzzzzzzzzzzzzzzzzzzzzzzzzzzzzzzzzzzz
zzzzzzzzzzzzzzzzzzzzzzzzzzzzzzzzzzzzzzzzzzzz
zzzzzzzzzzzzzzzzzzzzzzzzzzzzzzzzzzzzzzzzzzzz
zzzzzzzzzzzzzzzzzzzzzzzzzzzzzzzzzzzzzzzzzzzz
zzzzzzzzzzzzzzzzzzzzzzzzzzzzzzzzzzzzzzzzzzzz
zzzzzzzzzzzzzzzzzzzzzzzzzzzzzzzzzzzzzzzzzzzz

5

Mon erreur fut sans doute de manger du foie gras au souper. Ce n'étaient plus des borborygmes, mais un orage aïe-aïe-aïe en préparation dans mes entrailles. Une promenade digestive s'imposait. Kazan, Élie et Gaston avaient également envie de se dégourdir les pattes. Nous marchâmes d'abord en silence vers la petite colline qui succédait au lotissement. De là, nous pouvions voir la ferme de mes grands-parents, Martial désormais y logeait ; la demeure était restée relativement préservée, malgré une ligne à haute tension sur son aile ouest.

Kazan était contrarié. Il venait de se disputer avec son fils Arthur, un enfant prétentieux, égoïste et fainéant, si je résume ses propos. Kazan se disait sceptique quant à la possibilité que la société fasse de ses trois grands fils « des hommes ». Élie l'interrompit :

— Ça veut dire quoi, pour toi, des hommes ?

— Eh bien, des hommes, des hommes faits, répondit Kazan.

— Des hommes virils ? Des hommes forts ?

— Non, tu ne comprends pas. La question n'est pas là. Longtemps j'ai cru qu'on devait dire aux enfants que, la vie, c'était quoi ? Un bon combat avec des bons copains, un conflit entre la liberté et le partage, avec pour compagnons des outils comme l'empathie, l'hospitalité, la fidélité. Mais, aujourd'hui, si tu leur dis ça, tu ne les aides pas. Aujourd'hui, la vie, c'est : tout seul. Tu te battras peut-être contre l'injustice, mais tout seul. Tu construiras peut-être des cathédrales, mais tout seul. Tu travailleras la terre, mais tout seul. Tu édifieras ta maison tout seul. Tu auras des peines tout seul. Tu partiras en voyage en solitaire. Tu auras des joies individuelles. Tu ne feras rien gratuitement. Tu autoévalueras ta marge de progression. Tu mèneras une guerre strictement personnelle contre tes propres valeurs. Tu ne croiras à aucune aventure politique ou religieuse. Tu apprendras à compter ton temps. Tu ne bavarderas pas avec des inconnus. Tu ne te joindras pas à la grève. Tu ne te laisseras pas corrompre par l'imprévu d'un doux soir d'été. Tu érigeras une clôture devant ta maison. Et quand tu seras bien tout seul, avec ton tout seul-famille et tout seul-enfant, tu seras libre comme il faut l'être dorénavant : libre tout seul dans ta cage.

Le crépuscule grignotait le jour. Gaston hocha la tête et dit :

— Les parents veulent toujours le meilleur pour leurs enfants. Qu'ils aient une bonne santé, de bonnes notes à l'école, qu'ils fassent les meilleures études possibles. Nous voulons qu'ils gagnent les concours, qu'ils obtiennent de meilleurs logements que les autres, le crédit bancaire au meilleur taux, un bon travail, un couple heureux. Nous voulons qu'ils soient à l'abri du besoin, que leur femme ou leur mari soit inoffensif. Nous préférons qu'ils mettent de côté en cas de coup dur. Nous voulons qu'ils nous donnent des petits-enfants bien élevés. En somme, que voulons-nous, en tant que parents ? Je vais te le dire : nous voulons que nos enfants soient des bourgeois.

— Quel est le critère d'une éducation réussie ? répondit Kazan dans la pénombre. Que nos enfants soient parfaitement adaptés, qu'ils soient confortablement installés, qu'ils défendent leur bonheur ou qu'ils soient des gens *bien* ? Pourquoi s'échine-t-on à leur montrer les voies à prendre si nous disons qu'ils sont libres de choisir leur vie ? Si Arthur veut être gendarme au lieu de magistrat, si Benoît veut devenir boulanger et non ingénieur : qu'est-ce qui, en moi, sera déçu ? S'ils sont heureux de piétiner mes goûts, qu'est-ce qui, en moi, sera déçu ? Et quand serai-je plus fier de mon fils : quand il remportera une promotion contre un de ses collègues ou quand il donnera son manteau à un clochard ? Et pourquoi l'héroïsme ne consisterait-il pas tout d'abord à ne pas nuire ?

Il y eut un silence, que troubla le passage d'une moto. Le ciel était rouge. Une première étoile s'y affichait déjà, telle une comédienne avant la représentation passe un œil curieux à travers le rideau. Nous marchions toujours. Élie reprit, un sourire dans la voix :

— Ma voisine a un fils qui saute en parachute. Elle est folle d'inquiétude. Elle m'en parlait hier encore : « On passe des années à s'assurer que son enfant n'a pas froid, n'a pas peur, n'a pas mal. Et quand il est majeur, la première chose qu'il trouve à faire, c'est se balancer d'un avion en plein vol… »

Dans l'obscurité, j'entendis Kazan rire.

— J'ai mis longtemps à comprendre qu'élever un enfant n'a rien de visiblement difficile. Tous ces petits gestes que les hommes ont si longtemps délégués aux femmes et qui consistent à remettre un bavoir, à apprendre à se brosser les dents, à finir son assiette, le petit geste d'enfiler ses gants, de passer la purée au micro-onde, d'écraser ses légumes, de changer la layette, d'emmener les enfants au parc ou de les inscrire au judo, la conversation nécessaire pour exiger un coup de téléphone ou un « merci », le temps pour assister à leur spectacle de fin d'année ou négocier le montant de l'argent de poche… Et pourtant, ce sont ces gestes-là, accumulés durant des années, qui font relever la tête et dire : « J'ai élevé deux enfants, moi ! »

— Grand et dangereux est le monde, dit Gaston. Nos enfants seront la grandeur du monde ou sa dangerosité.

— Son honnêteté.

— Sa petitesse.

— Sa beauté.

— Sa fidélité ou ses trahisons.

— Ils seront sa souffrance.

— Sa joie.

— Sa pitié.

Mes frères parlaient tout bas, tels des esprits revenant sur leurs pas.

— Ils seront sa générosité ou son égoïsme.

— Ils seront sa douceur ou sa violence.

— Ils seront la dignité du monde ou ils seront son obscénité.

La nuit était noire à présent et les pères, en rentrant, se faisaient du souci pour le monde et pour leurs enfants.

6

Le lendemain, j'étais souffrante, mon estomac n'avait pas encaissé le choc. Je sombrais, victime du syndrome postgueuletonnien qui consiste à être tordue par des crampes partout dans le ventre, ventre qui, décidément, me donnait à cette époque bien du souci.

En bas, ça parlait et ça mangeait derechef. Des éclats de voix parvenaient jusqu'à moi, dépitée d'être seule dans un lit, à croire que venir ici n'avait servi à rien.

J'étais dans ma chambre d'enfant, celle que j'avais partagée longtemps avec Tom avant de partir à Lyon. Le parquet, gribouillé par endroits, semblait le livre des mémoires de nos jeux. Nous commençons notre vie par l'expérience de l'enfance, puis, comme une fusée perd ses étages, nous sommes peu à peu privés de toute protection. Toute petite, je n'avais aucune décision à prendre. On prenait soin de moi. Tout était ordonné par une main bienveillante – et un très long temps passe avant que nous interrogions cet ordre. La découverte de son imperfection m'obligea, comme tout le monde, à grandir. J'étais certes devenue une adulte, mais sans doute n'avais-je pas entièrement fait le deuil de cette époque bénie où vivre dans ce monde, c'était s'en remettre à une longanime et bienveillante main.

Martial m'interrompit dans ma mélancolie.

— Alors, la belette ? On fait une crise de foie ? dit-il en poussant la porte.

Je ris faiblement sous les draps, contente de sa visite.

— On n'a pas l'habitude de manger autant, s'pas ?

Je répondis que non, évidemment. À ce moment-là, il aurait suffi d'une inflexion de plus, quelque chose comme un soupir, il aurait suffi de dire « non, je n'ai pas l'habitude de manger autant », avec un air plaintif, plutôt qu'un ton léger, pour tendre le piège dans lequel mon frère serait tombé, provoquant ainsi une conversation sur ma situation. Mais je ne dis rien. Parce que la réaction la plus commune face à la misère d'un proche, c'est de le réprimander, lui dire que ce n'est pas possible, qu'il y a des priorités, il faut manger tous les jours, faut te bouger les fesses, enfin ! On le bombarde de questions, l'obligeant à dévoiler la soupente de sa déplorable existence. Je craignais Martial. Il était tellement sûr de lui, sa vie était tellement bien *faite*. Que m'aurait-il dit qui ne m'aurait fait plus mal encore ? « Quelle honte ! C'est ta faute. Tu n'aurais pas dû quitter Sullac. Tu n'aurais pas dû t'extraire de ce tissu familial qui tricote au-dessous de nous un filet de sécurité. Surtout toi, la fille. Tu n'aurais pas dû quitter ton mari, même s'il te trompait. Il n'était pas si insupportable et tu aurais pu t'en accommoder encore plusieurs années. Tu avais un appartement avec lui, un confort, des séjours à la campagne, tu avais tout de même quelqu'un pour t'aider. Aujourd'hui, si tu te casses le bras, qui mettra du dentifrice sur ta brosse à dents ? Tu n'aurais pas dû quitter ton boulot. Même si tu ne pouvais plus supporter l'ambiance mesquine et les consignes idiotes, tu recevais un salaire et payais des cotisations. Tu t'es comportée en enfant gâtée. Tu ne devrais pas vivre comme tu vis. L'idée de te mettre à ton compte n'était pas mauvaise, mais sans doute l'as-tu fait trop vite. Tu te laisses manger par ton imagination, cela te fait du tort. Tu crois trop à ta bonne étoile. Il faut se mettre au travail, il est temps de parvenir à quelque chose. Il ne faut pas être pauvre, c'est mal. »

Pour éviter ce genre de discours, je répondis juste, hé hé, oui, le foie gras m'a mise K.-O. Mon frère resta un moment avec moi. Il parla de ce qui se passait « en bas », dans le salon. Avec une voix heureuse, il fit une allusion heureuse à un cadeau heureux qu'avait reçu son heureux neveu. Il était heureux de me parler. J'étais heureuse de l'entendre. Nous étions seuls et c'était devenu si rare. On passe toute son enfance à côtoyer son frère, et en quelques années, quelques jours parfois, il suffit d'un déménagement ou d'une mise en couple pour que ces moments ne soient plus jamais possibles. Il y a toujours foule, il n'y a jamais le temps.

Martial me vit bouger pour trouver une position moins douloureuse. Il s'approcha.

— Je vais te border, tu seras mieux.

De ses fortes mains, il enfonça la couverture sous chaque partie de mon corps, si bien qu'à la fin j'étais parfaitement emmaillotée de sa douceur. Depuis combien d'années ne m'avait-on pas bordée ainsi ?

— Tu t'agites trop, belette, dit-il. C'est comme ça qu'on dort bien, quand on est bien calé.

Martial remonta ensuite la couverture sur mon menton. C'était un acte d'amour si naturel, si transparent, et j'étais en ces temps-là tellement privée de tout, que ce simple geste me bouleversa.

— Repose-toi, maintenant. Ça ira mieux ce soir.

En sortant, mon frère referma très délicatement la porte derrière lui, ainsi qu'on fait avec les petits enfants qu'on vient d'endormir.

7

Ah, me dis-je en sommeillant, ce sont des moments étranges, ces retours dans le giron familial. Chaque interaction semble vécue deux fois, telle une vision dédoublée, adulte et enfant ensemble, comme ces dessins cachés à l'intérieur d'un autre dessin… Être de retour dans sa famille, c'est comme être pris dans une musique ; une musique ne nous apprend rien, mais ~~c'est comme…~~

Je pataugeais. Il me fallait une meilleure comparaison. Où était ma réserve à images ? Je garde toujours mon sac à métaphores avec moi. J'attrapai le vieux sac de jute sous le lit. Je plongeai une main dedans. [*Les métaphores, ravies d'être appelées à l'aide, s'agrippèrent à mes doigts.*]

> … comme des poux se réchauffent sur la tête d'un écolier ; comme ces hortensias qui boivent plus d'eau que leurs avinés propriétaires ; comme cet os dur appelé « diamant », qui pousse sur le bec des rouges-gorges pour les aider à percer leur coquille et qui disparaît ensuite ; comme un soldat qui s'est cassé une jambe la veille du défilé du 14 Juillet ;

comme un camembert qui s'abandonne ; comme un mégot qui refuse de se biodégrader ; comme ces parents arméniens qui, tout en faisant faire des études à leurs enfants, les incitent à apprendre un métier manuel pour qu'ils puissent en toute occasion gagner leur vie ; comme un coucher de soleil sur Rome ; comme une tesselle qui ne prend sens que dans une mosaïque ; comme ces gens qui répondent à toute question par « pourquoi pas ? »...

— Non, non, non, ce n'est pas ce qu'il me faut. [*Je pris une lampe de poche pour mieux voir.*] Quel désordre, là-dedans ! Une poule n'y retrouverait pas ses poussins.

... comme ces fleurs qui n'éclosent qu'un seul jour par an ; pareils à ces pigeons qui picorent indifféremment à côté des amoureux et des pépés fascistes ; de même qu'un mouton sait parfois faire preuve d'indépendance ; comme un rouleau de papier toilette serré contre ses petits camarades ; tel le dernier quartier de la lune ne se donnant à voir que le matin ; de même une feuille de papier suffit pour infliger une coupure ; de même la Voie lactée est invisible au-dessus des métropoles...

— Sacrebleu et Barberousse ! Tout ça ne me fait pas avancer d'un pouce sur ma famille.
[*J'entrai entièrement dans le sac pour y fouiller plus à l'aise.*]

... de même le mathématicien Andrew Wiles résolut le dernier théorème de Fermat en démontrant la conjecture de Taniyama-Shimura ; comme une chevrette a peur de se faire traire ; de même les fleurs de platane libèrent leur pollen sous le vent ; comme on fait disparaître les rondeurs disgracieuses par Photoshop ; pareils à ces voies ferrées transformées en pistes cyclables ; comme des chaussures qui font souffrir les pieds avant de nous aller parfaitement ; de même les loges de pivert servent à la chouette chevêche ; comme ces expatriés français qui perdent très vite leur vernis égalitaire dans les pays où la domesticité ne coûte rien…

— Cornegidouille et cadédiou ! m'exclamai-je, on n'a jamais celle qu'il faut sous la main.

[*J'étais arrivée tout en bas, au milieu de respectables antiquités.*]

… comme après la métempsycose les pensées d'une existence antérieure ; comme un renard qu'une poule aurait pris ; comme un cœur qu'on afflige ; comme ces petits meubles à secrets, pleins de tiroirs emboîtés les uns dans les autres ; ainsi qu'un encensoir ; pareil à un milk-shake passant onctueusement dans une paille ; pareils aux souverains de deux royaumes voisins ; comme le sel des larmes de l'enfance ; comme deux mariés qui entretiennent tranquillement une flamme domestique ; comme une tourterelle captive qui veut reprendre sa volée ; comme une apparition ; comme une orange ; comme un couvercle…

— Sainte-Marie des Antennes-Relais, il est temps de remonter en surface !

[*Je croisai les arrivées les plus récentes. Je secouai la main et elles s'éparpillèrent autour du lit.*]

> … beurré comme un kouign-amann ; beau comme un camion ; vulgaire comme un ministre sarkozyste ; lâche comme un drone ; insipide comme un café américain ; stressé comme un chauffeur-livreur ; aimable comme un serveur parisien ; triste comme un cimetière de sapins après Noël ; sadique comme un banc sans dossier…

zut zut zut

Je refermai le sac, dépitée. Je n'arrivais pas à m'exprimer. Plutôt qu'écrire mes livres, j'étais à Sullac à me faire gaver par ma famille, incapable de trouver une misérable comparaison. Il me manquait toujours des mots. Il n'y a pas de mot pour dire « du samedi », par exemple, alors qu'il existe un adjectif pour dire « du dimanche », *dominical*. Le repas dominical, tout le monde a compris ; mais comment dire la piscine du samedi ou la partie de jambes en l'air du samedi ? Il n'y a pas de verbe pour dire qu'on a enfilé son vêtement à l'envers. On ne peut pas marquer une différence entre être mouillé par la pluie et être mouillé par la neige. Il manque au restaurateur un adjectif pour qualifier une table-où-on-ne-peut-dresser-que-deux-couverts ; en l'entendant, les amoureux se souriraient davantage. Il n'y a pas d'expression désignant l'occupation qui consiste à discuter entre amis des films qu'on n'a pas vus. Il serait temps d'inventer quelque chose pour remplacer l'expression lénifiante « J'ai commandé sur Internet ». J'ai besoin d'un verbe pour dire « jouer faux », il serait associé à l'apprentissage du violon. Il y a d'autres mots qui manquent dans la langue française, merci d'envoyer un inventaire de ces lacunes à l'adresse <lesmotsquimanquent@gmail.com*>, je ferai part des meilleures dans mon prochain bouquin. Attention, je ne demande pas d'inventer des mots, je demande de regarder là où il y a des trous dans la langue.

Et sur ces entrefaites, comme on dit, je m'endormis.

* Si un lecteur ou une lectrice veut m'envoyer une lettre d'amour, il ou elle peut utiliser également cette adresse. Pour les lettres d'insultes, écrire plutôt à : <edf@service-contentieux.fr>.

8

Le lendemain, tout le monde partit, car le surlendemain il y avait école, atelier, bureau, usine, cabinet, bref, tout ce qui relève d'une activité plus ou moins productive. Mes frères rangeaient les pléthoriques affaires dans d'immenses sacs ; je mangeais lentement une tartine au beurre. Ma mère posa son regard sur moi.

— Et toi, la belette, tu as des obligations à Lyon ?

— Euh... J'attends un courrier...

Elle sourit et dit :

— Reste quelques jours auprès de ta vieille mère. Tu as été malade, je ne veux pas que tu repartes trop vite. Et comme tu ne travailles pas...

— Avec plaisir, mais je ne veux pas te gêner.

— Me gêner ? Quelle idée ! La maison est assez grande. Reste un peu. Pour une fois que tu descends nous voir... Et puis, ça m'arrange, pour ne rien te cacher.

— Pourquoi ça t'arrange ?

— C'est le moment des confitures, il faut que j'achète plusieurs cageots de cerises et les cuisine vite vite. C'est tout un chantier. Toute seule, je n'aurais pas le courage.

— Je n'y connais pas grand-chose en confitures…

— Tu sais porter des cageots et dénoyauter des cerises, tout de même. Au pire, tu feras la conversation à ta mère. Alors, c'est entendu, tu restes ?

Je dis oui, évidemment. Il faut savoir profiter des mamans propices.

Bientôt, il n'y eut plus qu'une seule voiture sur le parking. Sur la maison tomba un calme bienvenu. J'aidai ma mère à ranger les chambres. L'idée de pouvoir manger tous les jours est une sensation délicieusement confortable. Tout semblait confortable ici, c'était même la caractéristique de cette maison, le confort moelleux de lits toujours propres, le confort secourable de placards chargés de biscuits, sans parler de l'inépuisable amour maternel. J'avais eu tort de m'apitoyer sur moi-même. J'avais un refuge où mon cœur se restaurait ; la vraie misère, c'est de n'avoir nulle part nulle mère, nul endroit où reposer sa tête.

Au repas de midi, nous finîmes les restes des agapes passées. Je remplis la cafetière. Quand j'appuyai sur le bouton *on*, une centrale nucléaire envoya ce qu'il fallait d'électricité pour que l'eau se mette à chauffer. Je regardai ma mère. Quelle était sa vie, ici, toute la semaine ? Martial venait régulièrement, ils étaient voisins. Virgile avait pris l'habitude de jouer de la guitare chez elle, dans le calme. Le jardin était plein de rosiers à entretenir. Elle devait garder ses petits-enfants, chasser la poussière, lire, mettre la télévision.

Mais, le soir, toute seule dans son grand lit, après avoir éteint la lampe de chevet, à quoi pensait-elle ? Je n'avais jamais senti une once d'angoisse chez ma mère. Quelques mois après la mort de papa, elle avait retrouvé sa sérénité. C'était même assez stupéfiant, en y repensant. Un cadre sur l'étagère contenait justement une photo de mon père, avec Tom sur ses genoux. Je m'en saisis.

Moi : Il semble heureux sur cette photo, papa…

Ma mère : Pourtant, c'était une période où il n'allait pas bien.

Moi : Il avait déjà du souci, à l'époque ?

Ma mère : Tu sais, ton père était un anxieux. Son travail l'a tué.

Moi : Je me suis toujours demandé pourquoi papa n'en a pas changé, si ça se passait si mal.

Ma mère : Difficile à dire. Pas le courage, sans doute. Ton père n'aimait pas le conflit, mais encore moins le changement.

L'eau coulait sur le filtre. Nous parlions si peu de la mort de papa, d'ordinaire, que les questions se bousculaient dans ma tête.

Et moi : Le fait qu'il y avait sept bouches à nourrir, ça lui faisait peut-être du souci.

Et ma mère : Pourquoi tu dis ça ?

Et moi : Parce que, s'il avait eu moins d'enfants, peut-être qu'il aurait pu démissionner.

Alors ma mère : Ne dis pas n'importe quoi. Vous étiez toute sa joie. Trois, quatre, ou sept enfants, au bout d'un moment, c'est pareil…

Alors moi : Pas tout à fait, tout de même. Rien que financièrement…

Alors ma mère : Mais nous avions des aides.

Alors moi : Des aides ?

Alors ma mère : Bien sûr, qu'est-ce que tu crois ? Qu'avec un seul salaire on aurait pu s'en sortir ? Nous touchions les allocations familiales. À sept, ça faisait pas mal. Et ta grand-mère finançait les vacances à la mer.

Alors moi : Je n'aurais jamais pensé que vous auriez demandé la CAF.

Alors ma mère : Et pourquoi pas ? Quelle drôle d'idée ! Puisqu'on y avait droit... On s'en serait pas sortis sans ça. Quant à la mer, on demandait à mamie de payer le gîte. Elle rechignait, la belle-mère, mais elle payait toujours.

Puis moi : On aurait pu s'en passer, de ces vacances.

Puis ma mère : Tu dis ça aujourd'hui, mais à l'époque tu nous demandais plusieurs semaines à l'avance quand on allait partir.

Puis moi : C'est vrai ?

Puis ma mère : Tu ne t'en souviens pas ?

Puis moi : Non.

Puis ma mère : Tu nous disais : Elle est où, la mer ? Tu voulais gonfler les bouées à l'avance, tu enfilais ton petit maillot de bain, tu tirais ta petite valise bleue derrière toi avec ton petit maillot. Tu étais tellement mimi dans ton petit maillot...

Du coup moi : Oui... Bon... Ben... Faut croire que j'aimais les vacances.

Du coup ma mère : Ah, ça ! Vous aimiez tous les vacances, et toi plus que les autres.

Ici moi : Pourquoi ?

Là ma mère : Peut-être parce que c'est à toi que ton père manquait le plus. Et que, pendant les vacances, il s'occupait enfin de vous.

Ici moi : Il nous manquait, papa ?

Là ma mère : Je pense bien ! Il rentrait tard tous les soirs. Le week-end, il était très fatigué. Forcément, il ne pouvait pas vous bichonner. Et moi je ne pouvais pas être partout.

Ici moi : Et tu crois que ça nous faisait souffrir ?

Là ma mère : Je crois qu'un enfant aime qu'on s'occupe de lui.

Elle rangeait les assiettes dans le lave-vaisselle, et c'était comme si les objets lui obéissaient, habitués à elle, objets de son quotidien, objets de sa solitude. Je demeurai songeuse. Ainsi, même avant sa mort, papa me manquait déjà.

Encore moi : Et les garçons, ils en souffraient ? Je veux dire : eux aussi, ils auraient voulu que papa les bichonne davantage ?

Toujours ma mère : Oh oui. Surtout Tom et Élie.

Encore moi : Et papa, il le savait ?

Toujours ma mère : Bien sûr. Ton père se sentait coupable. Il m'en parlait souvent.

Encore moi : Je n'aurais jamais cru. Même si ça se voyait qu'il était fatigué par son boulot. Le dimanche soir, il faisait une tête de trois kilomètres…

Une ombre passa sur son visage.

Enfin ma mère : Tu sais, ton père a eu un cancer. On ne meurt pas de travailler. Pas toujours, en tout cas…

Enfin moi : … ou pas tout entier.

Je l'avais sans doute peinée en évoquant son veuvage, car ma mère changea de sujet.

Soudain ma mère : Toi, du coup, tu n'aimes pas le travail.

Soudain moi : Tu crois ça ? J'en cherche, pourtant.

Aussi ma mère : Tu devrais chercher davantage. Mon petit doigt me dit que tu ne fais pas d'effort. Sinon, tu ne serais pas depuis si longtemps sans emploi.

Aussi moi : Pas d'effort ? [*Et je pensai avec douleur que l'effort de mal manger pendant des semaines, elle ne pourrait pas le connaître.*] C'est vrai que je ne cherche pas tous les jours, non.

Aussi ma mère : Faut pas te plaindre, alors.

Aussi moi : Je ne me plains pas, maman.

Elle avait fini de ranger la cuisine. Je lui servis son café sans relancer la conversation, contrariée par sa dernière remarque. Un sucre se dilua dans le silence.

Tendrement maman : Au fond, tu as peut-être raison. Ton père aurait pu demander le chômage. Ça n'aurait pas été pire que de se laisser tomber malade et de nous abandonner tous…

Pacifiquement moi : On a eu une belle enfance, tu sais…

Indubitablement ma mère : J'espère. On vivait très bien. Quand je vois comment vit Kazan aujourd'hui, je m'inquiète davantage.

Sansconvictionnement moi : Ah bon ?

Récriminament ma mère : Il me semble qu'avec deux salaires ils devraient s'en sortir mieux que ça.

Jalousement moi : Tu exagères, ils ne sont pas à plaindre.

Refrainconnument ma mère : Ils ont trop de charges. Et les enfants qui veulent des téléphones qui coûtent cher. Et leurs parents qui leur cèdent tout…

Désintéressement moi : Je ne crois pas que Kazan cède tout.

Insistancement ma mère : Si si.

Fatigamment moi : Non non.

Le café était fini.

9

J'étais montée dans ma chambre m'adonner à la sieste quand, sur l'écran de mon téléphone, s'afficha le prénom d'Hector. Mon cœur bondit d'espoir.

— **Salut, quoi de neuf ?**

— Ça va. Je suis restée à Sullac... profiter un peu.

— **T'as bien raison.**

Je lui demandai s'il avait relevé ma boîte aux lettres.

— **J'y suis allé ce matin. Pas de bulletin en vue. Il est censé arriver quand, ton papelard ?**

— Dans la semaine. Je l'attends depuis fin avril et on est le 16 mai…

— **Tu veux que j'aille voir tous les jours ?**

— Oui, s'il te plaît. Comme ça, je reste un peu ici à me faire engraisser…

— **Je me demande bien pourquoi je fais ça !**

— Ben… parce qu'on est des amis. Je ferais pareil pour toi, vieux.

— **Ah ouais, on est amis ?** explosa Hector au téléphone. **Alors explique-moi pourquoi Belinda n'a toujours pas quitté Charles-Édouard.**

Je lui demandai alors s'il s'exprimait en caractères gras par esprit de contradiction.

— Oui, c'est une technique pour me faire respecter. Je suis maltraité dans ce livre. À part me décrire comme un raté, un asthmatique, un snob qui place les adjectifs à l'envers, tu fais quoi pour moi ?

Je protestai. Il y était aussi décrit comme un vrai camarade, un brillant musicien, un garçon qui plaît aux filles…

— Peut-être, mais Belinda reste accrochée à Charles-Édouard… Alors, tant que je n'aurai pas eu gain de cause, j'interviendrai en gras quand ça me chante.

Ce n'était pas une bonne idée, non non non, les caractères gras, c'est pas joli. Ma relative discrétion à l'égard de son personnage – il est vrai, pour l'heure, tenu à l'écart – venait du fait que la plupart des amis d'un écrivain préfèrent ne pas apparaître dans ses romans, ils disent que c'est inconfortable…

— AH OUI ? Et rester pendant cinquante pages, comme un corbeau sur un poteau à guetter le facteur, sans avoir la possibilité de baiser la fille dont on est amoureux, tu t'es demandé si c'est une position confortable ?

— Peut-être. Mais mon livre n'est pas un baisodrome dans lequel on peut intervenir à volonté.

— Fais tomber Belinda dans mes bras.

— Hors de question. Tu n'as pas à m'imposer tes oukazes.

— Tu l'auras voulu. Je demande à Lorchus de dessiner une bite dans ton livre. **LORCHUS ! FAIS QUELQUE CHOSE !**

— Non, Hector, pas lui !

F A R F E L U E S
MÊME LES PLUS
R I D I C U L E S
JE METS DU SEXE
JE METS DU SEXE
JE METS DU SEXE
JE METS DU SEXE
JE METS DU SEXE
DANS TON BOUQUIN
Obéis. Donne-lui Belinda !

Fais une jolie scène sexuelle pour ton ami
Une rencontre spermatique dans un ascenseur une baisade
Une rencontre inoPINEe quelque chose de trouant
Sinon je dessine des bites partout des pulsions dans tes foutues pages
Oui, car je suis le diable et pas n'importe lequel
Je suis Lorchus ton démon personnel

A h !

! A h ! A h ! A h ! A h !

Ah !Ah !
Ah !Ah !Ah !
Ah !Ah !Ah !Ah !
JE SUIS LE DIABLE
JE DESSINE DES BITES
PARTOUT PARTOUT
ET QUAND JE VEUX
Je viens et j'introduis
DU SEXE DU SEXE
DU SEXE DU SEXE
DU SEXE DU SEXE
DU SEXE DU SEXE
DU CUL ET DE LA
BAISE EN TOUTES
CIRCONSTANCES
MÊME LES PLUS

10
(écrit sous la contrainte)

Le lendemain, mon ami Hector passa relever ma boîte aux lettres. Comme il remontait chez lui, il croisa sa voisine dans l'ascenseur. « Salut », dit-elle. « Salut », répondit-il, la verge déjà dure dans son pantalon, car Belinda était son fantasme sexuel le plus pur. Connaissant son sex-appeal, la ~~fidèle~~ belle Belinda demanda à mon ~~obsédé~~ serviable ami Hector de l'aider à réparer son sommier. Une latte s'était cassée, et toute seule, ajouta-t-elle avec des yeux implorants, elle n'arriverait jamais à la replacer. « Pas de problème, répondit mon élégant ami, sentant encore monter la pression dans sa bite, je vais te remettre tout ça en place. » Dès qu'ils furent dans la chambre, Belinda se mit à quatre pattes pour lui montrer la latte défectueuse. « La cochonne, pensa le subtil Hector en laissant tomber mon courrier par terre, elle a dû en faire des galipettes avec son copain pour mettre son lit dans un pareil état ! » Cette pensée excita encore plus cet homme pourtant très romantique. Belinda s'en aperçut d'un regard expert. Dare-dare, elle remit ses fesses en l'air. N'y tenant plus, Hector lui glissa une main entre les cuisses. Elle était déjà toute mouillée ! En moins de deux, ce garçon très bien fait de sa personne avait le pantalon sur les genoux, et la fille lui roulait des palots à lui décrocher ses plombages. Ces deux-là se tournaient autour depuis des mois, ils se jetèrent l'un sur l'autre avec avidité. Quels sauvages ! Mon raffiné ami sortit un surgonflé braquemart, Belinda se rua sur le matelas, elle ne demanda qu'à se faire enfiler. C'est là qu'Hector découvrit que Charles-Édouard avait dû déserter sa casemate depuis longtemps car Belinda était prête à exploser. Ah, qu'est-ce qu'elle était bonne ! Hector s'enfonçait toujours plus avant. Ils passèrent par toutes les positions, chaque fois, il déchargeait, et chaque fois elle jouissait. À la fin, il y avait du sperme plein les lattes, une vraie colle à bois. Enfin, quand le tendre et sentimental Hector eut vidangé ses couilles jusqu'aux orteils, sa voisine lui donna une part de cake à l'abricot. Rentré chez lui, mon irremplaçable ami me téléphona pour m'apprendre une bonne nouvelle : j'avais reçu mon bulletin de paie. Le seul problème, c'est que le papier avait reçu une giclée... Mais ça ne se verrait pas sur la photocopie, me promit-il. « Envoie plutôt l'original à Pôle emploi, dis-je, ils m'ont assez baisée comme ça », et nous eûmes une grosse rigolade.

11

Il y avait quelque chose d'utile dans cette histoire : mon bulletin de salaire était enfin parti vers Pôle emploi. Non seulement j'allais toucher l'allocation d'avril, mais aussi celle du mois de mai, qui tomberait peu après. Les deux sommes cumulées (1000 euros, une fortune) allaient me permettre de me nourrir normalement un petit moment. Le courage me revint. Ma mère, en sus, me fit la surprise de m'offrir le billet de train pour Lyon, « parce que ces voitures collectives, je n'aime pas, ce n'est pas prudent ». Tandis qu'elle repiquait des rosiers en chantonnant, je pris une feuille de papier pour calculer calmement mes charges et mes recettes mensuelles. Histoire de comprendre comment je m'étais fourrée dans un tel pétrin, histoire de savoir comment ne pas crever de faim à l'avenir. Après quelques ratures, j'obtins le résultat suivant :

x x x x

↑ ↓

MES CHARGES MES RECETTES

MES CHARGES		MES RECETTES	
Loyer	400	ASS	499
Électricité	50	Autres sources : une pige, des reventes Gibert ou Leboncoin	140
Téléphone et Internet	30		
Assurance	15		
Taxe d'habitation mensualisée	10		
Tickets de bus TCL	16		
TOTAL dépenses	**521**	**TOTAL revenus**	**639**

Je ne disposais donc que de 118 euros par mois de « reste à vivre », comme disent les assistantes sociales, soit même pas 4 euros par jour pour manger, sans compter tous les autres besoins et les factures imprévues... Pas étonnant que ça finisse par des journées sans pain.

Il fallait que je travaille. Il fallait éviter d'être en panne d'ASS. Il fallait une entreprise où ils ne font pas attendre le bulletin de salaire. Il fallait un travail au black. Et il fallait que je gagne beaucoup d'argent avec mes livres. C'est ça : un max de pèze. Qu'on s'arrache mes bouquins, qu'ils soient transformés en films, en pièces de théâtre, en musique, en jeux vidéo, que je devienne écrivaine multimillionnaire, admirée par des cars de touristes chinois devant sa table au Flore ;

photographiée le poing serré sous le menton, mangeant au Ritz avec des amis ministres que je conseillerais sur leurs nécessaires réformes, entourée de journalistes ébaudis, une coupe de champagne à la main ; j'exigerais un jacuzzi dans ma chambre d'hôtel, j'aurais une résidence secondaire en Provence, un chauffeur de taxi préféré, une masseuse privée, une maison à Mykonos et des week-ends en Italie...

— 👁👁 Hum ! Hum ! sceptiqua mon éditrice en arrêtant la lecture du manuscrit, tu sais, je ne veux pas paraître rabat-joie...

— ... Moui ?

— Tu me connais, je t'ai toujours soutenue à chacun de tes livres... mais avec la crise, la disparition des librairies en centre-ville, la concurrence faite par les écrans, on ne peut pas espérer les ventes d'il y a vingt ans, surtout au vu des élucubrations incontrôlables qui émaillent ton manuscrit. Et je ne te parle même pas des frais intermédiaires. Bref, le nombre de lecteurs diminuent, ce qui fait qu'aujourd'hui les éditeurs n'ont plus droit à l'erreur, par conséquent je ne voudrais pas que tu te fasses trop d'illusions sur la possibilité de... Enfin, moi, je serais contente que tu vives de tes publications, mais vu tous les... enfin... le mieux, c'est sans doute que tu... C'est délicat, vu la crise de l'emploi, mais il faut que tu...

— Vas-y, accouche.

— Eh bien, que tu écoutes ta mère.

— Ma mère, elle jardine.

— L'autre jour ta mère t'a dit de faire plus d'efforts pour trouver du travail...

— Mais du travail, ça ne se trouve pas sous le sabot d'un cheval !

J'en étais là dans mes débats littéraro-économiques lorsque ma mère m'appela. Elle avait besoin de moi pour transplanter un citronnier. Maman trouvait ainsi un tas de petites choses où je lui étais utile. Elle se disait peut-être qu'une fois les confitures dans leurs pots ma présence se justifierait moins. Elle ignorait à quel point je n'étais pas pressée de rentrer.

Je binais avec entrain. Comme nous finissions de tasser la terre, ma mère me demanda sur un ton de confidence :

— C'était qui le grand Noir avec qui tu discutais au baptême ?

— Le grand Noir ? Tu dois parler d'Honorix Cosa, le docteur. C'est un copain d'Élie. Un type très sympa.

— Comment ça se fait que je ne le connais pas ?

— Parce qu'il ne vit pas dans le coin.

— Moi qui croyais que c'était ton petit ami… Tu es sûre que ce n'est pas ton petit ami ?

— Maman…

— En tout cas, si un jour tu veux me présenter quelqu'un, ça me ferait plaisir.

— C'est gentil, maman, mais ce n'est pas le cas.

— J'espère que ce n'est pas à cause de ta littérature. Tu sais, les hommes n'aiment pas les intellectuelles, ils s'en méfient. C'est triste, mais c'est toujours comme ça.

— Pas toujours.

— On n'attrape pas les mouches avec du vinaigre. Il faut lâcher tes bouquins de temps en temps.

— Mais, maman, mes bouquins, c'est mon seul travail, tu comprends ?

— Ça ne te réussit pas. Regarde tes bras, tu es toute maigre. C'est à cause de ta chambrette, on y respire mal. Tu devrais déménager et essayer d'avoir un appartement avec une terrasse où te mettre au soleil, ça te ferait du bien. Pâlotte comme tu es…

— Une terrasse ? Pourquoi pas une piscine privée ?

Je ris. On voyait bien que ma mère ne connaissait plus le marché locatif.

— À propos de piscine, il faut arroser cet arbre, maintenant. Et rapporte les outils. Merci, belette, ça de moins que ta vieille mère ne portera pas.

Le soir, je me postai devant le JT régional, la chronique des fermetures d'usines y avait remplacé celle des arrachages de vigne ; mais, pour le reste, un verre de maury à la main, ma mère chantant dans la cuisine, il me semblait que rien n'avait changé.

12

Le jeudi, ma mère me demanda de l'accompagner à Montpellier. Elle voulait absolument acheter un cadeau de naissance à une lointaine petite-nièce qui avait eu un adorable bébé après un mariage évidemment inoubliable. Ça ne m'intéressait pas. Alors qu'à Sullac la dèche s'était repliée, vaincue par l'amour maternel, à Montpellier elle allait pouvoir derechef se jeter sur moi, ses crocs aiguisés. La seule défense contre toutes les tentations de la ville était de me calfeutrer dans un bar.

— Qu'est-ce que ce sera pour la dame ?

— Une limonade, s'iouplaît.

La patronne avait une sale tête. Le teint luisant, des yeux enfoncés dans les orbites, un air de mépris. Typiquement le genre de tête où la première question qui me vient à l'esprit est : « Est-ce qu'elle vote Front national ? » Certes, c'était du délit de faciès, mais une fois la question posée, elle m'instilla une crainte envers cette femme, et, à partir de là, un malaise envers tous mes compatriotes ; comme si une trahison future, une terrible déception, était dissimulée sous cette calme matinée où chacun vaquait à ses occupations. Une heure plus tard, ma mère me rejoignit au café. L'idée désagréable m'était sortie de la tête, jusqu'au moment où, en parlant, elle désigna quelqu'un dans la salle :

— Ce n'est pas un ancien camarade de Tom, le jeune homme, là-bas ?

— Où ?

— À gauche, près de l'Arabe avec ses deux épouses...

Je regardai ma mère, choquée. À l'endroit indiqué, un Maghrébin était assis avec deux femmes voilées qui, de loin, semblaient avoir vaguement le même âge.

— Pourquoi tu dis « ses deux épouses » ?

— Je dis ça comme ça, s'étonna ma mère. Alors, tu le connais, ce garçon ?

— Non, je ne le connais pas. Tom avait beaucoup de copains à la fac. Même des Arabes, ça se trouve.

— Mais bien sûr, reprit ma mère. Pourquoi tu dis ça ?

Oh, pour rien. « L'Arabe avec ses deux épouses », avait lancé ma mère, et sans doute elle ne pensait pas à mal ; moi, je retrouvais avec affliction le même malaise que tout à l'heure. Cette réaction, si naturelle, d'être gêné par la différence, avait pris depuis quelques années une forme nouvelle contre une religion considérée comme inassimilable ; l'islamophobie était pire qu'une plante envahissante, elle avait proliféré dans tous les cerveaux, comme ces virus qui mutent pour attaquer de nouveaux organismes ; sa capacité de mutation commençait par le présupposé que tout Arabe serait musulman, et tout musulman, arabe, donc immigré et potentiellement terroriste, métamorphose qui pouvait se faire ou se défaire à volonté, toujours en se retournant contre l'insulté qui ne peut se garder de tous les coups à la fois ; elle s'épanouissait sur la haine de l'autre, cette haine qui depuis des siècles se fait gloire de décréter pas-de-chez-nous tout ce qui est un jour juif, un jour rital, un jour arabe, un jour musulman ; on la voyait prospérer, cette haine, sur la perte impardonnée de nos bonnes vieilles colonies ; mais le plus rude était de la retrouver dans le cœur des électeurs de gauche, grâce aux legs inconscients et déniés de cette colonisation julesferriste qui permet de croire impunément qu'il y a deux classes de citoyens, les petits sauvages à rééduquer et les Lumières de la France, celles-ci en mission pour libérer ceux-là, ce qui permit à une Assemblée essentiellement masculine d'interdire le voile islamique à l'école, loi se présentant comme une défense du Grand-Nous et une élévation des autres, certes forcée, vers les hauteurs de l'athéisme, destination finale de tout bon processus civilisationnel, avec le robot mixeur et la tablette tactile ; loin des micros, dans des caves plus obscures, on la voyait s'armer chez des bandes ethniquement homogènes niveau testostérone, se renforcer sur le réveil de la croisade au nom de la patrie blanche, hétérosexuelle et chrétienne, la même chrétienté qui, dans de vieilles chapelles en ruine, plaidait en secret (trop en secret, hélas) pour une accalmie dans la discrimination en souvenir des paroles de Jésus, sinon des sœurs chassées de leur congrégation ; car cette pensée pouvait se révéler stérile là où on aurait cru le terrain favorable, et s'épanouir ailleurs ; si on la voyait sans surprise s'étendre ici par rejet de toute transcendance, les descendants des chasseurs de curés se croyant des héros en s'attaquant à une religion de dominés ; si on la voyait fleurir par misogynie chez les hommes excités par le pouvoir d'imposer un déshabillement à des collégiennes, il était plus étonnant, plus scandaleux, de la retrouver là par un féminisme de mauvais aloi, s'enfermant dans une unique voie émancipatrice face à des filles pourtant capables de détourner le stigmate pour faire du port du hijab un acte d'émancipation, acte d'une pudeur et d'une religiosité décrétées anachroniques ; par fémino-nationalisme, donc, qui imposait un seul moyen de libération, seins nus, anticléricalisme, maternité et séduction obligatoire, sans se rendre compte de ce que les musulmanes rencontraient de sexisme intra-muros dans leurs confréries pleines d'hommes, qui lâchement ne voulaient pas faire de vagues, de même que leurs pères trop dociles devant les patrons, leurs frères indifférents à leur cause, jusqu'à ce qu'on les tabasse dans la rue après le vote de la loi anti-burqa, l'exclusion des mamans voilées des sorties scolaires et des guichets bancaires ; sans s'apercevoir non plus, ces féministes blanches, de la relecture vivifiante, intelligente et de longue portée que ces femmes faisaient du Coran, en y puisant la source de leur libre arbitre en la matière, car il fallait avoir un carafon de suffragette pour décider de porter un voile en France à cette époque ; ainsi, cette pensée que je voyais s'exprimer chez ma mère, personne pourtant si généreuse, qui la tenait sans doute d'un aïeul, je la voyais apparaître là par génération spontanée, par sionisme, puisque les musulmans mettent en danger le saint, pur et sans tache État d'Israël, par antisémitisme maurrassien, puisqu'un Arabe appartient à la bande internationale des Métèques, par ouvriérisme et sa méfiance atavique envers les travailleurs immigrés, par haine du peuple, par élitisme, par républicanisme, islamophobie partout différente et partout éhontée.

Mais que faisait ma mère, sinon répéter les slogans qui d'en haut disaient :

Tous des barbus LES ARABES
Ils voilent leurs femmes LES ARABES
Ils posent des bombes LES ARABES
Ils sont polygames LES ARABES
Ils nous envahissent LES ARABES
Ils volent nos allocs LES ARABES
Ils prennent not' boulot LES ARABES
Tous des fainéants LES ARABES
Ça vend de la drogue LES ARABES
Ça brûle les voitures LES ARABES
Le bruit et l'odeur LES ARABES
C'était mieux sans LES ARABES
Ils l'ont bien cherché LES ARABES
DEHORS DEHORS DEHORS LES ARABES

« Comment tu peux dire "l'Arabe avec ses deux épouses" ? Comment tu peux avoir de telles certitudes ? » pensais-je. Mais les mots restaient dans ma gorge comme un chagrin d'enfant. Je n'arriverais pas à en débattre sans m'énerver, et le cœur me battait d'un scandale étouffé. À travers la vitrine, je vis un Rom faire la manche devant le McDo. Quelle déprime ! Est-ce que la misère ne suffit pas dans ce monde, pour qu'on ajoute à l'offense d'obscènes déclarations ?

Comme si elle avait deviné mes pensées, ma mère choisit ce moment-là pour me dire :

— Tu vois, avant que tu sois au chômage, j'avais des idées très arrêtées sur les chômeurs… Maintenant, j'en ai moins.

— Qu'est-ce que tu veux dire par là ?

— J'ai moins de certitudes, moins d'idées toutes faites sur les gens sans emploi qui…

Elle avait l'air gênée. Je tranchai :

— … sur les gens qui vivent des allocations, comme moi ?

— Oui. Je n'en connaissais pas, alors je pensais que c'étaient des assistés. J'ai changé d'avis depuis.

— Mais ne m'as-tu pas dit l'autre jour que je ne faisais pas d'effort ?

— J'ai dit ça ?

— Ça m'a blessée.

— Je suis désolée. Tu vois, c'est un reste de mes pensées d'avant…

Elle reprit avec un air gentil comme tout :

— Je ne pense plus ça, maintenant.

— Tu ne penses plus quoi ? Que les Arabes sont forcément polygames ou que les chômeurs abusent du système ?

Ma mère se tut, heurtée. Mais je m'étais trop engagée. Je la défiai encore :

— Et sur le Rom qui mendie dehors, là, je pense que tu as des certitudes, non ?

— Oh, dit-elle après un silence, un Rom, ce n'est pas pareil.

— Sur lui qui mendie dans la rue, qui est mal habillé, qui pue le pauvre, qui n'a pas accès à un logement, qui ne sait pas lire... tu n'as pas l'occasion de t'inquiéter de tes certitudes.

— Il y a plein de Français qui n'ont pas de logement...

— Oui, mais lui, c'est un étranger, il ne connaît personne, il ne parle pas notre langue, il couche dehors l'hiver.

— Il y a plein de Français qui n'ont pas de travail. Je ne peux pas tous les connaître, reprit ma mère en voulant se dégager.

— Oui, mais lui, c'est un misérable. Tout le monde le hait, il n'a que ses enfants, son CV est déchiré dans les agences d'intérim. Tu penses qu'il est encore possible de blesser avec tes certitudes ?

— Qu'est-ce que tu veux, à la fin ?

— Je suis contente que tu aies changé d'avis sur les chômeurs, maman, dis-je avec désespoir, mais lui, ce n'est pas ta famille, ce n'est pas ta fille ou ton fils... Je veux savoir : tu penses quoi de lui ?

— Mais je n'y suis pour rien, s'énerva-t-elle. On ne peut pas accueillir...

— On ne peut pas quoi, à la fin ? coupai-je. On ne peut pas quoi, tout au fond ? Qu'est-ce qu'on ne peut pas ?

— Il nous embête, ton Rom, dit-elle dans un souffle. Laisse-le tomber...

— Eh ben voilà, on le laisse tomber ! Il est par terre, il n'a personne, il n'a pas d'ami avec qui prendre un café, pas de vacances et pas de maison, et on le laisse tomber !

— Calme-toi, ma belette. Tu parles toujours avec trop de fièvre...

Bien du temps a passé depuis. Il y a longtemps que ma mère et moi ne pouvons plus avoir de conversations pareilles. La possibilité de telles heures ne renaîtra jamais pour moi. Et si je ne suis plus capable aujourd'hui de me mettre dans de tels états, car, la vie avançant, le cœur apprend à se mouvoir plus lentement vers ce qui le peine, je sais que la pauvreté vous rend plus sensible que l'aisance. Les autres chômeurs, me demandai-je alors, avaient-ils aussi cette impression de n'être qu'un timbre qui résonne dans un concert d'offenses ? Et si les mères n'ont plus d'amour, avec quoi aimerons-nous le monde ?

♥

— ... Je trouve que ce livre devient bien sérieux pour un interruptif roman, commenbita Hector, incapable de rester tranquille pendant trois chapitres.

— Oh, mon chéri, minou Belinda, ne dis pas de mal de ce livre, c'est grâce à lui que nous nous sommes aimés... Embrasse-moi encore, mon amour.

Les deux amants roucoulaient dans leur chambre. Lorchus choisit ce moment tendre pour frapper à la porte.

— Monsieur Lorchus, qu'est-ce que c'est ? Qu'est-ce qu'y a ? chutrembla Hector.

— Je peux te parler deux minutes, microbe ?

— Bien sûr, attendez, j'enfile un pantalon et je sors.

— Dis donc, crevette, tu n'oublies pas quelque chose ? T'as rien à me dire ?

— Si si, monsieur Lorchus, je voulais vous remercier. Je suis un heureux homme. Grâce à vous, j'ai pu faire la conquête de ma belle Belinda. Merci mille fois.

— Pas de merci. Ça n'existe pas chez moi, dit le démon en crachant ici [*Beurk.*] Tu as eu ce que tu voulais, non ?

— Oui. Je suis comblé. Elle a une si douce peau...

— Je me fous des détails, moustique. Bon. J'ai rempli ma part du contrat. Maintenant, tu dois faire la tienne, fit Lorchus en attrapant Hector par le bras.

— Euh, mais, euh...

— Eh mec, tu crois quoi ? hurla Lorchus en lui enfonçant un peu plus ses ongles dans la chair. Que je bosse gratis ? Chuis pas stagiaire, morpion, je suis LE DIABLE. Alors tu vas bosser pour moi, maintenant.

— Bien sûr, bien sûr. Que puis-je faire pour vous, monsieur Lorchus ?

— Eh bien, c'est très simple, reprit Lorchus en se raclant la gorge. Le tarif, y en a qu'un. Tu me suces la queue.

— QUOI ?!!!

(La gueule d'Hector : ◉ ! ◉)
0

— Ben oui ! Qu'est-ce que tu crois ? Une queue pareille, ça s'entretient. Elle traîne dans les pires endroits, elle s'abîme, elle sèche, alors j'ai mal !

— ...!! ...⊙⊙

— Si tu crois qu'ça m'amuse de te demander ça... Détrompe-toi, mecton. Mais, avec la crise, les pactes avec le diable, ça ne prend plus aujourd'hui. Plus personne ne veut s'engager sur une âme entière. Alors, faut trouver des substituts...

— Nonmaisnooooooon, vous êtes immonde ! Je ne ferai jamais ça !

— Oh si, mon gars, et *right now*. Profite de ce que ta copine ne te voit pas. Grouille-toi, sinon je la remarie, la voisine. En un claquement de doigts, elle se remet avec son ex.

— Pitié ! Demandez-moi autre chose ! Je ferai tout ce que vous voudrez !

— Pas la peine de gémir, ça m'excite. Allez, tu sors ta langue de sous-fifre de ton claque-cornichon et tu me liquéfies les extrémités. Dépêche-toi, ça me gratte.

Hector se dégagea d'un coup de coude. Il dévala comme un possédé toute la cage d'escalier, mais Lorchus le rattrapa sans peine. Et la diabolique queue vint s'abattre sur le visage décomposé de mon ami Hector.

— ... ggh...

— Ah, c'est bon. Fais attention, bichou, au bout y a un piquant.

— ... géhenne... je suis humilié !

— Mais non, t'es honoré, microbe ! Ne t'arrête pas, sinon je te pète dessus. Et les pets du diable, ça pue d'enfer ! HA ! HA ! HA !

HA ! HA !

HA ! HA ! HA !

HA !

HA ! HA !

HA ! HA ! HA !

HA !

13

Cette scène m'atterra. C'est dingue, tout de même. J'essaie de parler de choses graves, eu égard à l'avenir de la nation, et voilà les comportements que je recueille. Luxure, narcissisme, vengeance ; aucune élévation vers les saints territoires de la Culture. Il y a de quoi rater son début de chapitre... Reprenons.

14

Le dimanche matin, nous partîmes acheter les cageots de cerises à S***. Nous garâmes la voiture à deux pas du centre du village. Nous arrivâmes sur une placette pleine de producteurs locaux. Les étals étaient remplis de fruits de la région. Les petits vieux du canton y faisaient leur marché, comme tous les dimanches. Et c'était tellement serein, tellement traditionnel, ces étals de légumes et ces petites vieilles avec leur cabas, que mon passé simple était tout content. Déjà qu'il est heureux d'être là depuis le début... Il bomba le torse, mon passé simple, car, oui, enfin nous étions au marché. Nous croisâmes mon ancienne institutrice, qui fut très contente de me voir. Ma mère parla avec une vieille connaissance ; cette dame s'était fait refaire les lèvres à la silicone, ce qui fut largement critiqué par ma mère après son départ. Nous revînmes à la voiture avec nos commissions.

— Toi qui es jeune, mets-les dans le coffre.

Nous nous dirigeâmes, assîmes, reposâmes ensuite dans un bistrot, et nous désaltérâmes d'un verre de rosé. Autour de nous, des retraités jouant au loto ou lisant *Le Midi libre*. Le gargotier était un homme rond. Il salua un boulanger ambulant revenant de sa tournée. En somme, le passé simple convenait bien à toute la scène. Il y avait une ambiance de passé simple, quelque chose d'à la fois éternellement français, impossible à changer, nostalgique et beau, mais mortellement ennuyeux. On imaginait bien que se lisaient ici des livres qui commençaient par : « Lorsque Francette Germanicus sortit chercher son courrier ce matin du 5 octobre, il faisait si frais qu'elle revint mettre un plaid sur ses épaules. » Encore que le mot « plaid » soit un peu *too much*, me dis-je en sirotant mon vin. Je demandai où étaient les toilettes, le cafetier me les indiqua en ajoutant :

— Les toilettes pour les jeunes ? C'est à l'étage !

Ma prochaine dizaine à souffler, ce sera la quarantaine ; faudrait arrêter de me traiter de jeune. Ça m'afflige. Un jeune est censé se révolter, c'était loin d'être mon cas. Je me sentais lourde des années à venir. Certes, de leur point de vue, j'étais jeune. Parce que la France est vieille. J'habite dans un vieux quartier d'une ville ancienne, en vacances je vais chez ma vieille mère dans un vieux village réhabilité où on peut visiter de vieux châteaux historiques. Je croise de vieilles dames qui ont des problèmes de santé de vieux et de vieilles propriétés à restaurer. Je lis de vieux journaux rédigés pompeusement par de vieux journalistes et vendus par de vieux buralistes à de vieux lecteurs. Sur les vieilles lignes de bus, les retraités s'assoient d'autorité sur de vieux sièges, ils ont des conversations avec des vétérans au sujet de vieilles connaissances ou de vieilles boutiques qui ont fermé dans des rues piétonnisées. Nos vieux océans lèchent d'une increvable houle nos vieux rivages. Tous les automnes, des arbres centenaires craquent et leurs feuilles mortes tombent dans un soupir éternel. Dans des salles de concert, de jeunes violonistes envieillis jouent une musique surannée composée par des morts, ils sont applaudis par les vieux qui digèrent leur traditionnel gigot. Un écrivain sénile tient de vieux propos machistes dans de vieux salons littéraires. De vieux littérateurs écrivent de vieux dictionnaires pour de vieilles lectrices. Tous ces vieux ont mis leurs vieilles économies dans de respectables banques. Quand ils mourront, ils seront tellement vieux, hyper-vieux, ultra-vieux, au-delà du vieux, transcendentalement vieux, religieusement vieux, indécrottablement vieux, outrancièrement vieux, génétiquement vieux, que leurs propres enfants seront déjà vieux, moyennement vieux, passablement vieux, françoishollandiennement vieux, lâchement vieux, patiemment vieux, et acceptablement vieux. Ils feront porter leur vieillesse sur leurs propres enfants, qui, à peine nés, commenceront à vieillir, c'est-à-dire à vivre dans un monde de vieux, à se soumettre à la vieillesse du monde, à respecter le monde ancien, à s'habituer aux usages des vieux, à ne pas-vouloir-déranger les vieux, à pas de-nuisances-sonores-le-soir, à ne pas ruer dans les brancards des vieux, à craindre le vieux ridicule, à être réalistement vieux, à ne pas remettre en question le monde, mais à se faire hériter par lui. Et la génération d'après, les petits-enfants des moyens vieux des ultra-vieux, apprendra à vieillir en conduisant, à vieillir en possédant, à vieillir en cuisinant, à vieillir en se reproduisant ; ils croiront acheter des objets nouveaux, mais ne feront que vieillir avec leur moquette ringarde, leurs vieux caméscopes et leurs vieux magnétoscopes, leurs vieux scanners et leurs nouvelles technologies vieillies. À peine auront-ils fini d'apprivoiser ce vieux monde qu'ils seront tranquillement vieux, parents, malades, endettés, aigris, dégoûtés ; ils ne pourront rien faire, sinon transmettre leur congénitale vieillesse à la jeunesse en germe. Pour son bien, diront-ils, pour lui épargner les risques, l'inconfort, le désordre, ils voudront l'entourer de leurs bienveillants conseils de vieux. Mais que feront-ils d'autre que de patriotiquement la stériliser, la rapetisser, l'amenuiser, la tétaniser, l'empeser, la nécroser, cette jeunesse, la fatiguer, la calmer, la ralentir, la parasiter, l'adoucir, la distraire, l'enguimauviser, la canaliser, l'àquoibonniser, l'immobiliser, la maîtriser, la pacifier, la calfeutrer, l'endetter et la corrompre. La vieillesse est corrompue, la jeunesse est corruptible. La vieillesse a trahi, la jeunesse est trahissable. – Où sont les jeunes ? Où sont les naïfs et les idéalistes ? Les rieurs et les imprévisibles ? Les déchirés et les non-déçus ? Les cavaleurs et les illusions ? Où sont les ruptures dans le programme, les catastrophes et les nuits blanches ? Où sont les francs camarades, les fols incendies et les grandes aspirations ? Où se cachent les excentriques, les excédés, les dépareillés ? Où sont les agitatrices, les courageux, les têtes brûlées et les exceptions ? Où sont-ils et où sont-elles ? Où est la jeunesse de mon pays ? Est-elle ensevelie sous l'iPhonisation, sous l'accumulation, sous le buvez-avec-modération, sous la défense du territoire et le vigiepiratisme ? Vit-elle encore, sous les tumeurs et sous la paraffine ? Se débat-elle toujours, ensevelie sous l'épanouissement personnel, sous le moimoïsme, sous le salariat, sous le chômage et sous le précariat ? Et quand reviendra-t-elle ? Quand reviendront celles et ceux qui n'ont rien à craindre, rien à perdre, aucun intérêt à préserver, pas d'ami à protéger ni d'ascenseur à renvoyer ? Ceux qui n'attendront pas, ceux qui pourront tout quitter, tout envisager et tout replanter, qui n'hésiteront plus, qui seront jeunes tout entiers, qui trancheront, s'engageront, marcheront, ceux qui diront non : non ! ; qui diront oui : oui !

TROISIÈME PARTIE

Où le TGV est le théâtre d'une incroyable rencontre,
où Hector obtient à ses dépens une nouvelle scène
très pimentée, et où l'héroïne verra sa vie basculer
à la suite d'un événement inattendu mais longuement désiré.

1

J'avais pris place à bord du TGV n° 6659 à destination de Paris–Gare de Lyon, qui desservirait aussi les gares de Nîmes, Valence TGV et Lyon–Part-Dieu. Le départ étant imminent, il fallait faire attention à la fermeture des portes, il fallait faire attention au départ. Je zyeutai l'horloge sur le quai : 12 : 57. J'avais faim. Ma mère m'avait préparé un sandwich pélardon-tomates séchées, mais je ne peux manger dans un train que si plusieurs conditions sont réunies.

La première est que je sois assise contre la fenêtre. Si par malheur ma place est côté « couloir », je m'assois malgré tout près de la fenêtre et je fais semblant de dormir. Lorsque survient le propriétaire en titre, il y a de grandes chances : 1°) qu'il ne sache pas discerner quelle était sa place légitime sur la banquette – c'est la clause dite *de l'empoté* ; 2°) qu'il n'ose pas me réveiller – c'est la *clause de politesse* ; 3°) qu'il s'aperçoive du subterfuge, mais que, par générosité, il n'en fasse pas grand cas – c'est la *clause du grand seigneur*, qui, contrairement aux deux autres, vous assure la jouissance définitive de la fenêtre, si long que soit le trajet (cette dernière clause étant plus souvent concédée aux femmes par les hommes, cela va sans dire).

Évidemment, si j'ai une place « fenêtre » et qu'un petit malin me l'a piquée, je le dégage fissa.

La deuxième condition d'un casse-croûte ferroviaire réussi est de supprimer le voisin. J'ai horreur qu'on me regarde manger. Pour éviter dès le départ d'avoir un voisin, il faut considérer comme illégitime toute velléité d'installation sur *ma* banquette. Le premier moyen est de coloniser les deux places avec mes bagages. Ça décourage les fâcheux, *a fortiori* si j'ai sorti d'un sac en plastique un pique-nique abondant promettant force détritus et autres bruits de mastication. L'autre moyen, certes déloyal, est d'éternuer, tousser, avoir l'air malade, enlever ses chaussures... Le prétendant au siège voisin y réfléchira à deux fois avant de se poser près d'un tel boulet. En dernier recours, j'ai remarqué que sont rarement vendues les places situées juste derrière la porte de la machinerie de la locomotive. Je prends mes cliques et mes claques, et je vais m'y réfugier. Si par malheur j'hérite d'un voisin, il faut que ce soit une personne qui n'ait pas d'odeur, qui ne souffle pas, ne bouge pas, ne mange pas, en somme qui *existe* le moins possible. Ce voisin (ou cette voisine) sera invité(e) à écouter de la musique avec des oreillettes s'il faut vraiment que je mange. Mais attention : pas après. Après mon casse-croûte, je fais la sieste. À ce moment-là, tout iPod, i-jeux, et autres i-bruits deviennent sources de dérangement.

Si ces deux premières conditions ne sont pas réunies, je me rends dans la voiture-bar, où je peux indifféremment manger debout ou assise (admirez ma souplesse).

La troisième condition nécessaire pour que je pique-nique dans un train, et non la moindre, est que le train soit en marche. Mon estomac se serre tant que je ne suis pas partie, craignant que, pour une raison technique, le départ soit impossible et qu'on nous fasse changer de rame. Mon ventre se dénoue dès que le train, après la rituelle annonce du chef de bord, se lance sur les rails. Le mâchement opéré par mes mandibules accompagnera le rythme d'avalement des traverses.

Quatrième condition (concomitante de la troisième) : être assise dans le sens de la marche. Je ne peux pas manger en sens inverse, ça me met l'estomac en vrac.

Je ne sais pas pourquoi je suis comme ça.

[Les lecteurs les plus intéressés peuvent aller consulter les ouvrages : *Troubles obsessionnels compulsifs et comportement artistique*, Éditions du Tiroir toujours fermé, Dompierre-sur-Besbre, 1865 ; et *Maniaquerie ou désir de luxe ? Les petits arrangements de la vie quotidienne*, Butternut éditions, Montréal-Bakou, 2035.]

Ce lundi-là, alléluia, j'étais seule sur ma banquette côté fenêtre, dans le bon sens, et le train roulait. J'attendis encore dix minutes pour que le train sorte de l'emprise de la ville (car j'ai la manie de préférer manger devant la nature, en plus de m'arrêter de mastiquer quand le train passe dans un tunnel). Mon pique-nique terminé, je me levai. Comme j'ouvrais grande la porte des W.-C., qui était mal verrouillée, j'entrevis le torse nu d'un jeune militaire… sans doute en train de se branler, vu le regard furibond et terrifié qu'il me lança avant de se cadenasser précipitamment. Tout cela n'avait duré qu'une seconde. Ah ! me dis-je, quel dommage pour notre histoire qu'il ne se soit rien passé de plus !

AAAAAH LES MILITAIRES !

ÇA MANQUE
DANS NOTRE
LITTÉRATURE
LES JEUNES MILITAIRES
LES TROUFIONS • LES SURJUS
LES BRUTES • LES *GÂÂ'DVOUS – R'POS!*
ACH NOUS AVONS PERDU ---> TOUT ÇA
LA VIRILITÉ SPERMATIQUE DES DORTOIRS
LES PUNITIONS • LES TERRIBLES BRANLETTES
LES BAGARRES GÉNÉRALES • LES SACS DE CAILLOUX
ET LES HUMILIATIONS • QUEL DOMMAGE • ÇA
FAISAIT DE BONS PERSONNAGES • HAUTS EN
COULEUR • BIEN CAMPÉS • COMME ON LES AIME
DANS LES CHAUMIÈRES • ET CHEZ DROUANT
ACH LA GUERRE • MEINE DAMEN UND HERREN,
GROSSEN ÉPISODE ROMANESQUE,
GROSSEN UND GUTEN ZÈNES,
GROSSEN ÉMOZIONNEN…

Pour ma sieste, je suis toujours équipée de bouchons d'oreilles et d'un bandeau occultant. Ainsi coupée du monde, je pose la tête contre la précieuse fenêtre. En guise d'oreiller, je roule un vêtement en boule. La sieste est rendue plus difficile en été, car quand on dort la température du corps chute et l'on doit se couvrir. L'hiver, je me sers de mon manteau ; mais l'été j'ai toujours un bout de pied qui dépasse. Ça peut être gênant, car les trains sont fortement climatisés. Mon surnuméraire voisin me verra donc me contorsionner maintes fois pour trouver la position optimale. Avec un peu d'insistance, il aura quitté la banquette avant mon réveil.

2

Regarder le paysage depuis un train m'empreint toujours de nostalgie. J'y vois des oiseaux, du bétail, des rivières, des arbres et des villages, un dehors tendre comme l'enfance, paysage familier. La vitre qui m'en sépare semble bien modeste, mais, plus le train accélère, plus elle semble se durcir. À 300 km/h, le paysage devient aussi lointain qu'inaccessible.

Le printemps, cette année-là, était superbe. Le cœur me saignait de ne pouvoir me promener au milieu de ces vaches qui lentement s'empoisonnaient dans les prés vénéneux. Enfermée dans le centre de Lyon, je n'aurais bientôt plus accès à cette campagne sans une complication incroyable de lignes de bus ou de longues marches dans des zones sans dessertes.

Je détournai avec regret les yeux du paysage et ouvris un livre de Pierre Bergounioux. Mais, au bout d'une dizaine de pages, je fus gagnée par une irrésistible somnolence. C'est alors que Pierre Bergounioux lui-même m'apparut : un grand homme extrêmement maigre engoncé dans une robe de bure, une tête en forme d'épingle dissimulée sous une sombre capuche. Cette apparition me fit une frousse bleue.

— Monsieur Bergounioux, bébalbulsiège, qu'est-ce que vous faites dans ce TGV ?

Occupé à serrer d'un cran supplémentaire le cilice qui le ceinturait, l'auteur de *Miette* ne me répondit pas tout de suite. La douleur qu'il s'infligeait semblait lui apporter une sorte de soulagement moral, et sa réponse, continuer un monologue commencé depuis longtemps :

— ... c'est vrai qu'il faut essayer, un peu, tant que force nous est donnée, de rapprocher ce qui se pense ici-bas de ce qui est agi, pourquoi je suis dans ce TGV diurne alors que je préfère les trains Corail annuités, qui perçaient les vallées, et l'antique langage de la micheline à vapeur, ses horaires fatidiques, ses sombres compartiments visités à l'aune des temps, quand sur un quai l'attendait un gringalet de dix-sept ans, et quand, dans le passé, dans mon enfance, nous arrivions, nous, rejetons d'une lignée d'analphabètes, sur terrain calcaire, après force détours dans les marges déshéritées d'un Massif central enseveli dans la nuit des âges...

— Arrêtez de serrer ce cilice, j'ai mal pour vous... Vous rentrez à Gif ? demandai-je à l'auteur des monumentaux *Carnets de notes*.

— Oui, michonna-t-il en sortant de son habit trois œufs d'autruche ramassés au zoo de Lunaret avec l'intention de les mettre à couver sur son chauffage central. Le temps du labeur, hélas, est revenu. Chacun d'entre nous doit expier en ce monde, sacrifier la livre de chair que les puissances occultes exigent des mortels alphabétisés...

— Vous voulez boire quelque chose ? lui propozaige pour détendre l'atmosphère.

L'auteur de *La Demeure des ombres* me regarda comme si j'avais voulu le corrompre.

— Boire ? Manger ? Jamais ! s'encorréza-t-il en brandissant un masque à soudure. Boire, c'est l'abrutissement. Manger, c'est bassement animal. Signes d'une vie nonchalante et nulle. Je me suis levé à quatre heures pour ramasser ces œufs, et jamais je ne permettrai d'entraver, par ces pathétiques occupations, la clarté, seconde, disputée, de la conscience qui, depuis le passé, depuis l'enfance...

Pendant son discours j'étais devenue toute petite, à peine arrivais-je à sa cheville. Mais, sans me décourager j'entrepris d'escalader sa robe de bure. C'était tout de même Bergounioux, pansaije avec admiration, avec un tel homme, je pouvais discuter littérature.

— Tu t'inquiètes pour ton avenir, jonquilla-t-il fort à propos, tout en manipulant une boîte à chaussures emplie de coléoptères desséchés. Sache que notre destin est déjà joué avant nous, décidé par des forces obscures venues au jour entre le permo-carbonifère et le quaternaire récent, tout est joué dès l'enfance, selon la teneur des terres arables...

J'étais parvenue sur ses genoux. Je l'écoutais en suçant mon pouce, ravie.

— ... Mais il y a plus grave : la non-publication du livre IV du *Capital* en 1960. Cette absence a déterminé la conscience des êtres d'État que nous sommes, car dans le passé, dans mon enfance...

Entre-temps, on avait stoppé le TGV près d'une rivière. Tous les passagers montaient des lignes de pêche à la mouche en chantant des cantiques. Bergounioux, devenu immense et maigre comme une statue de Giacometti, circulait en sermonnant les pécheurs :

— Expier, il faut expier ! L'écriture... c'est de la domination, la littérature... est... l'exploitation de l'homme... par l'homme...

— Vous croyez ? balançai-je, suspendue par une main à son cilice.

L'auteur des *Forges de Syam* ne m'entendit pas. Avec une souplesse démente pour son âge, le vieil écrivain se jeta sur la voie et se mit à arracher avec fureur les frettes, boulons et autres tire-fonds. Un vrai pillage. Une rame de RER arriva pour l'embarquer. Je me mis à crier dans sa direction : « Monsieur Bergounioux ! attention ! attention ! Parlez-nous du présent ! Du présent ! » Mais, plus je criais, plus je rapetissais. Lorsque je fus aussi petite qu'un scarabée, l'écrivain me remarqua : « Oh ! un *Carabus auratus* ! » Il me prit entre ses doigts. Terrorisée à l'idée qu'il m'ajoute, empalée sur une épingle, à sa collection d'insectes, je criai plus fort. L'auteur de *La Mort de Brune* m'entendit enfin. Il répéta alors : « Du présent ? » Puis, relevant la visière de son masque, Bergounioux réfléchit un instant et éclata de rire.

C'était extraordinaire. Sa bouche riait, la langue se tordait, les dents se gondolaient, les amygdales se marraient, la glotte se déridait, tout riait, tout riait en lui. Je m'étais cachée sous un rail pour observer ce spectacle hallucinant. Le rire descendit dans l'œsophage, passa dans les poumons hilares, l'estomac ricana, les reins s'esclaffèrent, le diaphragme se plia en deux, l'intestin pouffait, le côlon se cognait, les genoux tremblaient, le cœur gloussait, la rate se dilatait, le rectum se tapait le cul par terre de rire. Ce fou rire était si sonore qu'il me sortit du sommeil. Les freins crissaient. 14 : 55 ! Gare de la Part-Dieu ! Je sautai sur le quai. Un poil plus tard et je partais pour Paris…

3

Ce rêve me laissa songeuse ; j'en parlai à Hector, le vrai, quand nous nous revîmes. Nous étions chez lui. Il rangeait sa clarinette à côté de sa guitare, de ses deux saxophones, du ukulélé, des guimbardes, clavinolas, et autres compagnons de sa précarité.

— Moi, en ce moment, je ne rêve que de nanas. Et dans des poses, si tu savais...

— Tu sors toujours avec Belinda ?

— Belinda, moui. Mais... j't'ai pas raconté ?

Luisait dans son regard une étincelle que je n'oserais qualifier de *lubrique*.

— Je ne t'ai pas raconté la soirée de l'autre jour ? C'est le truc le plus dingue qui me soit arrivé depuis des années.

— Non, raconte.

— Rapidement, j'ai rendez-vous dans vingt minutes.

— Je t'écoute. Je veux tout savoir !

— Mais, dit Hector en profitant de mon impatience, je te raconte seulement si tu mets un peu en relief mon récit.

— En police Baskerville, par exemple ?

— Euh, non, c'est trop classe pour une histoire de cul…

En Helvetica ?

Avec un léger retrait ?

— Oui, très bien.

Je m'installai sur son clic-clac. Hector s'éclaircit la gorge, chercha un titre, et commença.

Une rencontre inespérée

C'était vendredi. Mon cousin Rémi m'avait envoyé un mail pour m'inviter à une « soirée ». Un repas gratuit, je me suis dit… Donc, j'y vais. Rémi adore les soirées déguisées. Le thème était la couleur orange. Les gens s'étaient maquillés en écrevisses, on aurait dit une réunion du MoDem, c'était pathétique. On devait être quarante. Un gamin de quatre ans chouinait au milieu des adultes, preuve de la présence d'une maman solo dépourvue de solution de garde. J'ai vite compris que je n'allais pas m'amuser. Niveau sexe, nada. Les filles m'ont toutes paru déprimées ou en passe de l'être, style inscrites sur Meetic, le reste, enceintes ou en peine de l'être, obnubilées par l'idée de trouver un père pour leur enfant putatif. Les mecs en voie d'embourgeoisement et de prise de poids, qui te parlent de comment faire l'isolation des murs de manière écologique. Personne ne se mettra une cuite, il faut aller sur le balcon pour fumer, il y a un mot dans l'ascenseur pour prévenir les voisins… Bref, une soirée nase.

— Soirée de trentenaires. Pourquoi t'y es pas allé avec Belinda ?

— Elle n'avait pas répondu à mon texto. Je n'ai pas insisté. Vu la suite, j'ai bien fait...

Il se donne du mal, Rémi, pour créer de la convivialité. Très important, la convivialité, condition d'une soirée « cool ». Il a organisé un quizz musical, on joue en formant des équipes. Ça met un peu d'animation, façon centre aéré. J'imagine que Rémi et sa femme espèrent finir à quatre heures du matin et le lendemain aller jeter des bouteilles au conteneur à verre en recevant des SMS du type : « Merci pour la soirée d'hier ! C T sympa. » On se prête tous au quizz, ça nous donne une contenance. Le jeu fini, l'ambiance retombe aussi sec. Un mec commence à danser, une crétine s'empresse de prendre une photo. Je ne sais pas si t'as remarqué, mais la présence immanquable du crétin ou de la crétine qui photographie avec son iPhone le moindre frémissement de vivacité garantit le plombage intégral d'une ambiance. Je reste rivé au buffet. Y a une pizza aubergine-chèvre extra. Je m'enfile deux parts de tarte aux pommes et un flan aux pralines. Délicieux. Je lorgne déjà une pile de cookies. C'est là qu'une nana m'interpelle : « Salut, Hector, qu'est-ce que tu deviens ? » J'ai le choix entre dire la vérité : « Je suis du régiment du Pôle emploi » ; et dire une autre vérité : « J'ai raté le concours du Conservatoire. » Alors, j'esquive. « Rien de plus, et toi ? » La meuf se rue sur le « et toi », déblatère qu'elle s'emmerde dans son boulot, qu'elle a le projet de devenir institutrice, parce que, commerciale, ça va un temps, mais, tu vois, j'en ai marre de faire de la route, j'ai envie d'un métier qui a du sens, quand j'ai parlé de cette carence de sens à mon n+1 le chef s'est moqué de moi, ils sont pas du tout dans la même énergie, tu vois, moi je veux que les choses aient du sens même si financièrement ça ne sera pas pareil en étant institutrice, mais qu'est-ce qu'il y a de plus beau que de transmettre ?... Elle est interrompue par un type qui me pose la même question : « Qu'est-ce que tu deviens ? » Moi, je ne deviens rien. Pas père, pas mari, je ne deviens pas riche, je ne deviens même pas vieux. Je survis. Alors je vole une dizaine de cookies, discrètement, je les dissimule dans mon sac à dos. Toujours ça de pris. Une fois la panse bien remplie, je m'assois à l'écart en réfléchissant à l'excuse qu'il me faut trouver pour partir, vu qu'il n'est même pas vingt-deux heures. Et comme je vois une guitare qui traîne, j'en grattouille un brin.

— Je vois le tableau, ténébreux et sombre héros jouant de la guitare, l'ultime technique de drague...

— Je n'étais pas d'humeur à draguer. C'était un jour sans kékette.

— Parce qu'y a des jours à kékette et des jours sans kékette ?

— Bien entendu.

— Je croyais que c'était tous les jours ouvert chez toi.

— Mais non, ça dépend. C'est comme les films à pop-corn et les films pas à pop-corn...
— On ne va pas reprendre ce sujet, Hector.

Comme tu l'as deviné, à peine j'avais commencé à jouer qu'une fille s'amène. Elle s'assoit derrière moi, ça m'énerve et j'arrête de jouer. « C'est pas très fun comme soirée, non ? » dit-elle alors. Surpris par cette entrée en matière, je me retourne. Et là, tu ne vas pas me croire, mais la fille, elle était canon. Je ne comprends même pas comment elle a pu se retrouver dans cette soirée pourrie. Une femme plus âgée que nous, mais splendide, la classe totale, des yeux de louve, une poitrine marilynéenne... J'en reste baba. Je crois qu'elle le remarque, parce qu'elle me dit : « Attention, tu te transformes en écrevisse. » Je me reprends. « Le coup du quizz musical, ça m'a plombé. – Depuis le début, ça se voit sur ton visage. – Ça se voit quoi ? – Que tu t'emmerdes. » Cette remarque m'inquiète. « J'ai pas mal taffé cette semaine, j'avais pas envie de sortir », que je balourde. Et là, au lieu de me demander « ce que je fais dans la vie », elle dit : « Si tu veux, je vais rejoindre des amis dans un bar près de chez moi... Viens, on s'amusera plus qu'ici. »

— Directe, sa proposition.
— Oui, mais sur le coup ça faisait moins la fille qui drague que la fille qui, comme moi, cherche un prétexte pour se barrer d'une soirée loose.

Je ne veux pas avoir l'air mort-de-faim. Donc, je fais mine d'hésiter. Je lui demande si, dans son bar, y aura des quizz musicaux. Je la fais rire. Elle s'appelle Sirine. Nous partons sans dire au revoir. Avec dans mon sac à dos un stock de cookies et à mes côtés une femme superbe, j'étais plutôt content de ma soirée. Je pensais qu'on allait rejoindre ses potes dans un bar, mais v'là que Sirine, à peine dehors, me dit : « Je dois passer chez moi, faut que je me change, mes collants ont filé. » Sur le chemin, je la baratine comme quoi je suis un professeur de musique, ça plaît toujours aux filles, plus que les chômeurs. En papotant on arrive devant son immeuble, et là elle dit : « Ben, monte, tu vas pas rester dehors. » Je monte. Elle me dit de m'asseoir, qu'elle en a pour deux minutes.

— Il est comment, son appartement ?

Un appartement bien décoré, grand, propre, parqueté. Je me pose dans un immense ❀❀❀ sofa à fleurs ❀❀❀. Sirine me sert un verre « pour patienter » et s'en va en tortillant du cul. Je me roule une clope et, maintenant que je suis seul, je remarque un truc bizarre. Les tableaux qu'y avait sur les murs : que des nus ! Photos, dessins : tous des nus, voire des sexes en action…

— Elle a des photos pornos dans son salon ?
— Sans doute des *photos d'art*… mais ça fait un drôle d'effet.

Donc, je me dis que la fille est plutôt branchée kékette. Que sûrement on va rester à baiser là, ce qui me convient très bien. En prévision des galipettes, je repère un robinet et je me lave un peu la bite, histoire que la fille soit bien contente à l'heure des présentations. Et hop, ❀❀ de retour au salon. Je poireaute un petit moment, je commence à me demander ce qu'elle fout, quand j'entends la porte d'entrée s'ouvrir !

— Quelle porte ?

— La porte de l'appartement. Alors que Sirine était en train de se changer, moi dans le sofa, qu'il était vingt-trois heures passées, et que c'était pas prévu que quiconque se ramène !

— Tu flippes ?

Grave. Surtout quand j'entends un « bonsoir » lancé depuis l'entrée par une voix d'HOMME. Je suis pétrifié. Un homme à cette heure-ci ? Putain, ça veut dire que Sirine a un mec, que le type rentre plus tôt que prévu… Il va me prendre pour son amant. Il va me casser la gueule. Et l'autre folle qui ne revenait pas... Je reste assis, tétanisé, et le type apparaît dans le salon.

— Un mec comment ?

Un grand et bel homme, style avocat d'affaires ou lieutenant de la Wehrmacht. Plastiquement très beau, et très, très smart. Au moins deux mille euros de fringues sur lui. Quand il me voit, il marque un temps d'arrêt. Il m'observe en plissant les yeux. Je finis par lui rendre son bonsoir. Le type se détend, et tout sourire me lance : « Vous devez être Hector. Sirine m'a beaucoup parlé de vous. Vous l'attendez, ce me semble ? Je vais l'attendre avec vous, si vous n'y voyez pas d'inconvénient. »

— Il a dit ça ? Mais... c'est incroyable !
— Je te jure.
— Et ensuite ?
— Je te dirai demain.
— Quoi ? Tu ne peux pas me laisser là !
— Belinda m'attend pour bouffer. Et elle a faim à tous les niveaux...
— Dis donc, Hector, c'est la fête du slip en ce moment.
— Oh, ça va, j'ai pas tant de distractions que ça...
— N'oublie pas de sortir couvert, monsieur kékette.
— Parle-m'en. Tu sais que c'est un vrai budget, les capotes ? Parce que les bas de gamme, c'est comme enfiler un ciré breton.
Nous étions dans l'ascenseur. Sa remarque me fit marrer.
— Faut savoir ce que tu veux, mon pote. La masturbation, c'est encore gratuit.

4

Rentrée chez moi, je me demandais s'il n'était pas temps pour moi de trouver un homme. Pas un homme-BTP (l'homme avec qui on peut *construire*), je n'y croyais plus, mais un homme-bouillotte. Cela pourrait être agréable. Hélas, pour en dénicher un, il aurait fallu prendre soin de ma féminité. Or, être plus féminine, c'était forcément dépenser plus, ne serait-ce que pour suivre les conseils de l'esthéticienne (« L'ennemi, c'est le poil sous peau, il faut faire des gommages contre le poilçou-peau, madame, le poualçoupot, le pwoilsoupault, ce serait dommage, madame, de ne pas faire de gommages, il faut hydrater, hydratez, hydratez, madame. Comment ? Vous n'avez pas de crème gommante ? Mais votre peau va s'abîmer !! ») ; acheter des vêtements et non les récupérer dans une poubelle ; se maquiller ; se rendre à des « soirées » en apportant une bouteille... À vrai dire, la difficulté n'était pas seulement de plaire aux hommes, il aurait aussi fallu qu'un homme me plaise. Or, je n'aime pas les hommes qui draguent, je n'aime pas non plus ceux qui ne tentent rien ; je n'aime pas les hommes qui ne lisent pas, mais je n'aime pas ceux cloîtrés dans leurs bouquins ; je n'aime pas les hommes timides, ni les hommes qui se croient tout permis ; je n'aime pas les hommes qui cherchent avant tout une mère pour leurs enfants ; je n'aime pas les hommes qui se sont vraiment découverts en allant passer une semaine dans le désert, Il faut vivre ça au moins une fois dans ta vie, ça m'a tellement apporté ; je n'aime pas les hommes qui remplissent d'office votre verre de vin ; je n'aime pas les hommes qui ont dix enregistrements différents de la symphonie n° 5 de Mahler ; je n'aime pas les hommes qui sifflent dans la rue ; je n'aime pas ceux qui gardent les mains dans les poches en toutes circonstances ; je n'aime pas les hommes qui parlent de moteurs ; je n'aime pas les hommes parfumés ; je n'aime pas les hommes qui utilisent le mot *impacter* ; je n'aime pas les hommes négligés ; j'ai horreur de ceux qui ne s'excusent pas ; je déteste les hommes qui vous prennent de haut ; je n'aime pas les dragueurs qui répètent d'un air mièvre votre prénom en vous touchant l'épaule ; je n'aime pas les hommes en retard ; je n'aime pas les hommes qui ont leurs habitudes dans un petit restaurant qui n'est pas encore connu, mais tu vas voir, ma petite, comme il va monter ; je n'aime pas les hommes qui retapent leur appartement – du coup, la douche, ben, désolé, elle est pas finie ; je n'aime pas les hommes radins ; je n'aime pas les hommes plaintifs ; je n'aime pas les hommes qui ne font jamais leurs vitres ; je n'aime pas les hommes qui disent « zizi » ou « mon petit oiseau » pour parler de leur sexe ; je n'aime pas les hommes qui ont peur de marcher la nuit en ville ; je n'aime pas les hommes qui veulent vous persuader que vous avez tort ; je n'aime pas les hommes qui touchent plus leur téléphone portable que leur copine ; je n'aime pas les hommes incapables de se taire ni ceux incapables de s'enthousiasmer ; je n'aime pas les hommes je-sors-d'une-histoire-difficile ; je n'aime pas les hommes avec de grosses cuisses ; je n'aime pas les lèvres charnues ; je n'aime pas les hommes qui n'ont pas réglé leur problème avec môman ; je n'aime pas les dogmatiques, je fuis les abstentionnistes ; je n'aime pas les snobinards qui suivent des cours de cuisine ; je n'aime pas les hommes qui jouent du violon ; je n'aime pas les hommes qui crachent ; je n'aime pas les hommes qui prononcent « chandwich » ; je n'aime pas les hommes qui ont fait le tour du monde ; je n'aime pas les hommes à principes ; je n'aime pas les hommes qui reniflent ; je n'aime pas les hommes qui n'ont jamais de café dans leurs placards ; je n'aime pas ceux qui vous demandent tout de suite d'emménager avec eux ; je n'aime pas les hommes qui vous écrivent des e-mails pleins de smileys hystériques ; je n'aime pas les hommes qui répondent Comme tu veux, ma chérie quand tu leur demandes de choisir ; je n'aime pas les hommes qui se croient à l'article de la mort au premier rhume ; je n'aime pas les mecs qui oublient d'aller chercher le pain, ce qui fait que la prochaine fois, ben, on l'achètera soi-même ; je n'aime pas les hommes qui aiment *recevoir* ; je n'aime pas les hommes qui n'ont pas d'illusions ; je n'aime pas les hommes qui se rongent les ongles ; je n'aime pas les hommes qui ne font pas l'aumône ; je ne ris plus depuis longtemps aux blagues sur les blondes ; je n'aime pas les hommes tendus, je n'aime pas les coincés ; je n'aime pas les monomaniaques, les fanfarons, les pessimistes, les racistes, les machistes qui ne se l'avouent pas, les complotistes ni les lecteurs de livres ésotériques ; je n'aime pas les hommes qui achètent *L'Équipe* le matin avec une figure sérieuse ; je n'aime pas les hommes qui se rasent en laissant les petits poils dans le lavabo ; je n'aime pas les hommes qui ne rigolent jamais en faisant l'amour ; je crains les collectionneurs ; je me méfie de ceux qui aiment trop le jazz ; je ne pourrais jamais désirer un homme qui passe trois heures par jour devant un jeu vidéo ; je n'aime pas les faiseurs de chichis ; je me fatigue des bavards ; je n'aime pas les mauvais pères ; je n'aime pas les hommes qui restent silencieux pour faire croire à leur intelligence ; je ne suis pas particulièrement attirée par les beaux gosses ; je n'aime pas les hommes qui ont de la salive à la commissure des lèvres ; je me détourne des incurieux ; je ne ferai jamais rien avec un brave type ; je n'aime pas les hommes qui chinent chez les brocanteurs pour décorer leur résidence secondaire ; je n'aime pas les hommes qui ont des problèmes de parking ; je n'aime pas les hommes qui n'aiment pas les pique-niques ; je n'aime pas la mauvaise foi, la lâcheté, la médiocrité, l'égoïsme, l'enfantillage et la prétention ; je n'aime pas les fous qui parlent tout seuls ; je n'aime pas les hommes qui se déshabillent dans le noir ; je n'aime pas les hommes qui se lèvent trop vite le matin ; je n'aime pas les battants ; je n'aime pas les hommes qui se créent eux-mêmes leur fiche Wikipédia ; je n'aime pas les hommes qui redoutent sans cesse de se faire arnaquer ; je n'aime pas les hommes qui méprisent ton passé ; je n'aime pas les hommes qui te regardent comme de la viande avariée si tu n'es pas, chaque jour que Dieu fait, parfaitement épilée ; je n'aime pas les hommes qui vocifèrent pendant les grèves SNCF ; je n'aime pas les hommes aux épaules minuscules ; je n'aime pas les hommes bruyants ; je n'aime pas les hommes qui n'ont qu'un seul sourcil, continu et broussailleux ; je n'aime pas les hommes dont la peau ne peut pas prendre le soleil ; je n'aime pas les hommes qui attendent lâchement qu'on les quitte ; je n'aime pas les hommes qui n'ont jamais eu envie d'être grutiers ; je n'aime pas les hommes qui appellent par leur prénom des gens qui, eux, leur donnent du monsieur ; je n'aime pas les hommes qui boudent ; je n'aime pas les hommes qui élaborent depuis leurs goûts individuels une théorie universelle ; je n'aime pas les hommes qui sont mal à l'aise dans un PMU crade ; je n'aime pas ceux qui se grattent les valseuses le matin ; je n'aime pas les vieux beaux ; je n'aime pas les jeunes cons ; je n'aime pas les cheveux longs ; je n'aime pas les roublards, les pétanqueux, les bridgeurs, les baroqueux, les accordéonistes, les violents, les querelleurs ; je n'aime pas non plus les buveurs de tisane ni les hommes qui font du shopping ; je n'aime pas les hommes qui ne regardent pas par le hublot en avion ; je n'aime pas les hommes qui vous touchent uniquement quand ils veulent baiser ; je n'aime pas les hommes qui font de la photo, Tu fais quoi, toi ? Moi, je fais de la photo ; je n'aime pas les hommes qui allument la télévision dès le matin ;

je n'aime pas ceux qui ont des petits rituels ; je n'aime pas les hommes tristes, je n'aime pas les illuminés ; je n'aime pas les lourdauds qui bavent sur vos seins ; je n'aime pas les hommes qui vous expliquent la genèse de leurs allergies ; je n'aime pas les hommes qui toussent tout l'hiver ; je n'aime pas les hommes qui se pomponnent ; je n'aime pas les hommes qui vous laissent vous occuper de tout pour les vacances, mais qui, après, vous feront des reproches ; je n'aime pas les hommes qui ont honte de se masturber ; je n'aime pas ceux qui critiquent vos amis ; je n'aime pas les hommes qui rentrent en disant On mange quoi, ce soir ? ; je n'aime pas les hommes qui vous racontent la moindre actualisation de leur page Facebook et les commentaires de leurs amis – LOL 👍 MDR – plus crétineux les uns que les autres ; je n'aime pas les hommes qui ne mangent rien au petit déjeuner ; je n'aime pas les hommes qui ne tiennent pas en place le week-end ; je n'aime pas les hommes qui parlent à leur chien ; je n'aime pas les hommes qui sucrent leur café… « Ça me laisse peu de perspectives », me dis-je en plongeant mes pâtes dans l'eau.

5

Hector était allongé sur son canapé, le visage creusé par de larges cernes, quand je le retrouvai le surlendemain. Moi j'étais en forme. Mon allocation, enfin tombée, me permettant de bénéficier d'une période faste.

— Alors, la suite de l'histoire ?

— Pas maintenant, répondit Hector. Je n'ai pas le moral.

Je le regardai de plus près. Je reconnus le mal dont il souffrait.

— T'as mangé quoi aujourd'hui ?

— Rien, avoua-t-il après un silence. Rien depuis chez Belinda avant-hier.

Il ajouta avec un lointain sourire :

— Et j'ai dépensé sur place toutes les calories consommées…

— Fais-toi un plat de riz.

— J'ai rien. Laisse tomber.

Je fouinais déjà dans sa cuisine. Hector avait toujours du riz chez lui. C'était sa manie. Sur les étagères je vis plusieurs paquets : risotto, basmati, Camargue. Pourquoi il ne se faisait pas du riz à l'eau ?

Hector se recroquevilla davantage, je répétai ma question. Hector mit sa tête sous un oreiller. Une toute petite voix en sortit :

— Parce que... je n'ai plus de gaz.

Ça me ficha un coup. Hector se justifiait déjà :

— J'ai rendez-vous demain à Pôle emploi. J'attends qu'ils calculent mes indemnités...

— Pourquoi tu m'as rien dit ?

— Chais pas, la honte, sans doute.

Nous sommes descendus ensemble chez l'épicier, nous avons porté ensemble une bouteille à travers les rues, nous l'avons poussée dans l'ascenseur ensemble, ensemble nous l'avons branchée à la gazinière.

— Merci, me dit-il.

— Ça va, j'ai un peu de fric en ce moment.

Il aurait dû me demander de l'aide plus tôt. Faut pas avoir honte d'être pauvre.

— Tu as raison. Mais on se sent tellement nul dans ces cas-là.

Hector avait repris des couleurs, comme dopé par ce brutal enrichissement. Il dénicha de l'huile d'olive et du sel pour agrémenter notre riz. Au dessert, ce fut de la Ricoré sucrée.

— Ah, le café chaud, c'est quand même meilleur, admit-il.

Une heure était passée depuis mon arrivée.

— Alors, quoi ? Cette nuit chez Sirine ?

Le ventre plein, Hector reprit le cours de son récit.

Un trio *vivace*

Je suis donc sur le grand sofa ❀❀❀ de l'appartement de Sirine. Un type habillé comme un cadre de la SS – je me demande s'il s'agit de son mec – est arrivé et s'est assis à côté de moi. Très intrigué, je lui demande : « Sirine vous a parlé de moi ? » Il rit comme si j'avais dit une connerie et me répond : « Bien sûr, vous lui plaisez beaucoup. » Alors là, je me dis que je dois être tombé chez des partouzards. Le type me regarde de manière appuyée. C'est louche. Est-ce qu'il veut me baiser, lui aussi ? C'est pas dans mes plans. J'aurais dû me méfier. Mais maintenant que j'étais là – partouze ou pas –, fallait assumer. Je prends un air sûr de moi, me cale dans les coussins. Le type friqué sort un paquet de Marlboro, il m'en offre une. J'allais me gêner. « Sirine est une fille très surprenante, vous savez, il ne faut pas lui en vouloir. » Il veut me mettre à l'aise. Il commence à me baratiner quand Sirine revient enfin.

— Combien de temps après ?

Ça m'a paru long. Une demi-heure, peut-être. Enfin, quand je l'ai vue, j'ai compris pourquoi. « Se changer », qu'elle avait dit ! Pour être changée... Heureusement que j'étais assis.

ATTENTION :
LE PASSAGE SUIVANT CONTIENT DES
! SCÈNES PROPRES À CHOQUER !
LA SENSIBILITÉ D'UN JEUNE PUBLIC.

Elle était moulée dans une sorte de guêpière avec la poitrine projetée en avant, hyper-maquillée, un collier de chienne autour du cou. Je ne suis pas très branché sous-vêtements, mais là je me sens réagir tout de suite. Une tour Eiffel commence à pousser Sirine lance des yeux de prédatrice vers mon Trocadéro Alors mon mignon je suis à ton goût ? J'ai pas le temps de demander comment on va procéder que les festivités commencent elle glisse sa main sous ma chemise puis sous mon caleçon elle me défroque en grognant comme une possédée Prends-moi Prends-moi Prends-moi elle me roule un gros palot je vois l'autre nazi en train de se branler tandis qu'elle se jette voracement sur mon membre qu'elle astique j'ai l'impression qu'elle va le manger tout cru je dis Arrête Je vais exploser alors j'attrape ses deux obus à pleines mains À peine je l'avais touchée qu'elle se met à gémir Oh oui Quel talent Quel talent qu'elle dit puis elle se retourne et me guide ça y est j'y suis je me perds complètement elle me supplie d'y aller franco elle a un appétit terrible cette femme parce que pendant ma besogne elle appelle l'autre type en jappant Prends-moi Prends-moi elle tend la langue et lui le type s'approche et lui met son braquemart dans la gorge et moi dès que je vois ça j'en peux plus je catapulte ✻※✻✳ une première fois j'essaie de reprendre mon souffle mais la fille a déjà changé de position ↳

pour que ce soit l'autre qui se mette à l'ouvrage mais elle jappe fort parce que le mec il a pris l'autre terminus comme objectif et qu'il le lui met bien dans le ⭘ il la secoue comme un prunier ça me donne des haut-le-cœur sur le canapé ❀ qui a ❀ des ressorts cassés ❀ je pensais être un peu tranquille mais quand Sirine voit mon membre qui chôme elle se le fourre dans la bouche comme en quatorze mon brigadier il retourne dans sa tranchée pendant que l'autre lui défonce les arrières elle parvient sans peine à me faire exploser ✯※✮ une deuxième fois c'est alors que le nazi me dit vas-y donne-lui une fessée elle adore ça J'ai à peine le temps de voir si mes couilles ont survécu à l'assaut que Sirine se renverse sur mes genoux en miaulant oui oui je suis une méchante je mérite une fessée À voir cette paire de fesses tendues rebondies vers moi je chavire je lui dis d'accord tu vas voir et je lui mords carrément dans le jambon ça la fait crier puis elle se prend une fessée et chaque fois elle dit Oh oui Quel talent Quel talent je sens qu'elle va jouir parce que son minou se répand en cascade sur mes genoux d'ailleurs je l'ai à peine touchée dans le satellite qu'elle hurle pour un peu elle m'aurait séquestré la main à l'intérieur du four tellement elle a des contractions de cabri puis elle s'assoit sur moi toute guimauve Un instant je crois qu'elle a son compte mais pendant qu'elle nous roule des palots elle regarde du coin de l'œil si mon zob il peut encore faire du service je lui dis cocotte laisse-moi respirer alors elle dit on va dans la chambre on sera mieux elle m'attrape par la queue et dans la chambre elle sort un petit pot de vaseline toute pimpante elle s'en tartine les deux guichets puis elle m'allonge sur le lit elle met le facho à mes pieds et elle se met à califourchon sur moi je lui dis vas-y mollo je suis pas en bois ça la fait rire elle commence à me mandibuler l'artimon je n'y croyais pas mais elle ferait repousser des arbres dans le désert elle est toute contente de voir le résultat qu'elle s'empenaille droit sur moi en éructant Quel talent Quel talent pendant ce temps le SS derrière lui fait la deuxième couche ⦿ on sombre on navigue on chevauche on galope on crie tous les trois ⁂✭✳✷✶⁂ en s'abattant dans les draps et là je crois que je m'endors le matin j'avais les couilles toutes bleues tellement elle avait foré dans l'asticot.

— … Et tu l'as revue ?

— Non. Elle ne m'a pas laissé son nom ni son numéro. Bon, je ne te mets pas à la porte, mais demain j'ai ce rendez-vous à huit heures.

6

Ainsi, Hector avait rendez-vous à Pôle emploi. Ce n'était pas rare. Après avoir passé plusieurs semaines à travailler comme distributeur de journaux gratuits, il se faisait toujours virer pour manque d'esprit *corporate*. Une conseillère se devait de le recevoir à chaque réinscription au Pôle emploi. Dans son agence, Hector était connu comme le loup blanc. Dans la mienne, ça faisait longtemps que personne ne me recevait. Ce manque de suivi m'avait longtemps convenu. Mais, ces jours-là, j'avais besoin d'aide. Après des années de piges mal payées ou trappées, j'avais renoncé à valoriser mon niveau d'études. Il me fallait trouver un job d'urgence, même peu qualifié. Serveuse m'apparut comme un bon compromis. Certes c'était fatigant, mais ça ne devait pas être très compliqué ni trop désagréable, et puis, dans la restauration, on devait embaucher.

De : Sophie dans la dèche
Date : 26 mai 2012 14:43:56 HNEC
À : conseillère_de_sophie@pole-emploi.fr
Objet : Demande de rendez-vous

Chère conseillère,
Après plusieurs recherches infructueuses dans ma branche (le journalisme), je me remets sérieusement en question, car la possibilité d'y trouver un poste est de plus en plus mince. Je réoriente donc ma recherche vers des domaines plus porteurs en emplois, par exemple le tourisme ou la restauration. Ce sont des secteurs qu'il me plairait beaucoup de découvrir. Une connaissance du métier pourrait m'éviter de faire des erreurs, voire améliorer mon employabilité. J'aurais besoin d'une formation, par exemple aux métiers de la restauration. Peut-on se rencontrer pour en parler ? Je suis à votre disposition. Merci de votre aide. Bien à vous, etc.

De : conseillère_de_sophie@pole-emploi.fr
Date : 26 mai 2012 14:45:02 HNEC
À : Sophie dans la dèche
Objet : Réponse automatique : Demande de rendez-vous

En congé maternité ; de retour le 23/06/2012. Pour toute demande, écrire à esp-lyon@pole-emploi.fr ou téléphoner au 3949.

De : Sophie dans la dèche
Date : 26 mai 2012 15:01:02 HNEC
À : esp-lyon@pole-emploi.fr
Objet : Demande d'information

Bonjour,
Je cherche des renseignements pour savoir, si, en tant que bénéficiaire de l'ASS, j'ai droit à des formations. Je pense à une formation aux métiers de la restauration. Est-ce que Pôle emploi en propose ? Sur quels critères peut-on s'inscrire ? À quel service dois-je m'adresser ? Bien à vous.

De : esp-lyon@pole-emploi.fr
Date : 27 mai 2012 10:01:02 HNEC
À : Sophie dans la dèche
Objet : Re : Demande d'information

Pour toute demande de formation, appelez le 3949 et dites « formation ». Ou parlez-en à votre conseillère.

Donc ; j'étais seule face à ce grand défi. Renoncer à toute ambition professionnelle me procura, en me libérant d'une exigence depuis longtemps posée sur mes épaules, une certaine énergie. S'ouvraient devant moi de nouveaux secteurs d'embauche. Je voulais y croire. C'est donc avec un air de fille débrouillarde mais soumise à l'autorité, charmante mais pas séductrice (bref, un air *féminin*), que je fis le tour des restaurants du quartier pour y laisser mon CV. La plupart des patrons n'embauchaient pas, la majorité demandait de l'expérience, plusieurs me dirent qu'ils recevaient cinq CV par jour et qu'ils n'en pouvaient plus. Même en extra, mes chances étaient minces.

7

En rentrant chez moi après cette tournée, je vis un tas de vêtements abandonnés sur une poubelle. J'y dénichai une chemise pour femme. Du bout des doigts, je la ramenai dans mon studio, la honte de faire les poubelles compensée par l'excitation de la gratuité. La chemise, une fois lavée, m'allait très bien.

Je la mis pour aller chez Hector le jour suivant. Je trouvai mon ami complètement affolé.

— C'est la catastrophe, Sophie.

Hector portait un nouveau manteau et je crus que le mal venait de là. C'était un paletot hideux acheté en promotion à La Redoute, m'apprit-il. Hector levait et baissait les bras devant son miroir, comme un coucou déréglé.

— Comment tu le trouves, derrière ?

Le manteau s'affaissait tel un ventre de femme enceinte après sa libération. C'était informe.

— Ça va.

— J'ai l'impression qu'il y a trop de tissu autour de moi.

— C'est pratique, tu pourras mettre un pull dessous.

— Je peux demander à ma mère de le reprendre.

Sa mère savait coudre ? Ça changeait tout. J'empoignai une grande quantité de tissu dans son dos.

— Alors, fais-lui enlever tout ça.

— Ah oui, comme tu me tiens, je me sens mieux. Dis-moi la vérité, c'est moche ?

— Pas du tout, mais si ta mère sait coudre, demande-lui aussi de reprendre le col...

Engoncé dans son paletot, Hector parcourait son appartement avec de grands gestes nerveux. Je m'assis sur son fidèle clic-clac. C'était vendredi soir. Je tentai d'offrir à mon ami une des canettes que j'avais ramenées. Hector ne se calmait pas. Il fouillait fébrilement dans ses placards.

— Tu comprends, faut que j'aie l'air correctement habillé pour l'entretien d'embauche...

Il avait décroché un entretien ? C'était une bonne nouvelle.

— Mais non ! C'est la galère. Que des mauvaises nouvelles. Je risque d'être radié ! Tout ça à cause de cette salope. Elle m'a sacqué !

Je ne comprenais rien à son comportement. Je lui demandai de s'asseoir. Après bien des prières, Hector enleva son manteau, but une gorgée de bière, et reprit le cours de son récit. (Son discours ayant été très confus ce soir-là, je me permets d'user de mes prérogatives pour vous le restituer avec plus de clarté.)

Une coïncidence malheureuse

Une semaine environ après la partouze, j'avais donc rendez-vous chez Pôle emploi. On me fait entrer dans un bureau. Je regarde le nom de la conseillère : Sirine Mathon. Sirine, c'est rare comme prénom. Ce serait fou si c'était la même, je me dis... À ce moment-là, une dame entre. C'est elle ! C'est Sirine !

À peine m'a-t-elle vu qu'elle rougit jusqu'aux yeux. Je reste tout penaud. Je lui demande comment ça va. Elle ne me répond pas. Le silence devient insupportable. Elle est derrière son ordinateur, moi assis comme un con. Alors je parle, je fais un tunnel. Je lui demande si elle bosse là depuis longtemps, que ça me fait plaisir de la revoir, que je suis au chômage depuis cinq ans de manière intermittente... Je commence à me ratatiner, je lui explique que je n'ai pas le diplôme qu'il me faut, que j'ai de l'asthme, que je n'ai pas de nouvelles de mes indemnités et que ça m'inquiète, je lui dis que je suis content que ce soit elle qui s'occupe de moi parce qu'elle est sympa.

Et là elle me sort d'une voix coupante :

— Monsieur Ferrand, cela m'est bien égal que vous me trouviez « sympa ». Je vais devoir mettre les points sur les *i*. Ce n'est pas parce que nous avons eu des rapports... privés, et qui ne se reproduiront pas, que vous bénéficierez d'un quelconque traitement de faveur ici. Je suis chargée de vérifier que vous remplissez les obligations d'un demandeur d'emploi telles qu'elles sont définies dans le PPAE que vous avez signé contre le versement de votre ARE mensuelle. Toute autre considération serait nulle et non avenue.

Puis elle me lance, sadique :

— Vous ne m'aviez pas dit que vous étiez professeur de musique ?

— Vous vous rappelez ça ? C'est pas nul et non avenu ?

J'avais envie de lui donner une autre fessée, et pas de main morte.

— Pas la peine de faire de l'esprit. Je vois que c'est votre quatrième inscription ici. Pourquoi n'êtes-vous pas capable de garder un travail, monsieur Ferrand ? Montrez-moi votre CV.

— Je suis musicien, je ne tiens pas longtemps comme larbin chez MacDo. On ne peut pas avoir tous les talents…

L'allusion ne lui plaît pas du tout.

— O.K. Si vous le prenez comme ça.

Elle ouvre un agenda énorme.

— Lundi prochain, il y a une formation pour écrire son CV. Je vous y inscris. Ça dure un mois.

— J'ai bac+3, je sais faire un CV.

— Monsieur Ferrand, votre CV, vous pouvez le mettre à la poubelle. Il faut abandonner vos velléités artistiques et valoriser votre expérience dans la grande distribution ou le télémarketing pour percer dans ces secteurs.

— Arrêtez de m'appeler monsieur Ferrand, c'est ridicule.

— Mercredi prochain, il y a une formation à l'entretien d'embauche sous forme de jeux de

rôle. Je vous inscris également. Pour votre allocation, on verra plus tard.
Je commence à prendre peur.
— Sirine, arrête ton manège, mes allocations, j'y ai droit, j'ai cotisé !
Oh là là, qu'est-ce que je n'avais pas dit...
— Comment ça ? « J'y ai droit j'ai cotisé » ? Voilà bien un langage d'assisté. Ça ne m'étonne pas. Vous êtes un profiteur, monsieur Ferrand.
— Et alors, c'est mal de profiter des autres ? Ça ne vous arrive jamais, à vous ?
À ces mots, la bombe sexuelle se transforme en furie.
— Je vais vous expliquer ce qui va se passer pour vous, désormais, monsieur Ferrand. Petit un : je lance une recherche d'offre d'emploi sur les postes de professeur de musique dans le grand Lyon. Petit deux : je vous envoie les offres actuelles. Petit trois : je vérifie *personnellement* que vous avez candidaté aux annonces. Petit quatre : si vous refusez trois « offres raisonnables d'emploi », vous êtes radié.
J'ai beau me défendre, elle ne m'écoute plus, la garce. Elle me tend des papiers à signer, comme un flic après une garde à vue. Comme je sors du bureau, elle me dit :
— Je vais être franche avec vous, vous êtes inemployable. C'est vrai. On ne peut pas avoir tous les talents.
Et là seulement, elle a souri.

8

Huit jours après ma tournée des restaurants, alors que je traînais à la bibliothèque municipale en lisant les horoscopes des magazines féminins, le patron du restaurant Jules&Juliette m'appela sur mon portable. Il voulait que je vienne « faire un essai » le soir même.

Jules&Juliette était un bouchon pouvant dresser cinquante couverts en comptant la terrasse de ce mois de juin. À dix-huit heures trente, le patron m'accueille, un tablier autour des reins, les mains calleuses et l'air inquiet. Il me met la carte dans les mains, il me dit que je vais prendre les commandes de cette partie-là de la salle (geste de la main), que si j'ai du temps je fais de la plonge, qu'il faut donner des cacahuètes avec l'apéritif, enlever les verres à vin si les clients n'en boivent pas, sinon on les salit pour rien. Il me dit les numéros des tables :

— Dans le coin, c'est la Une, puis la Deux, la Trois, celle-là fais gaffe c'est la Neuf parce que avant elle était près du mur, puis on continue avec la Quatre, la Cinq, la Six à l'angle, tu tournes avec la Sept mais on l'appelle la Ronde, la Huit, la Dix mais souvent on la colle à l'autre et du coup on dit la Onze, puis la Carrée, la Douze, et ta dernière, tu vois, c'est Banquettes. Ça va ?

Mon cerveau m'envoyait des bug-bug-bug affolés. Je dis que oui, j'allais retenir.

— T'as un stylo Bic ? Sur le bon de commande, tu écris le numéro de table et le nombre de couverts. Pose tes affaires, parce que ça va arriver, on a à peine le temps de bouffer.

Le patron, qui, malgré son ton sans réplique, avait une allure de gentil grand-père, disparut dans la cuisine. J'essayais de calmer les bug-bug-bug dans ma tête et les poum-poum-poum dans mon cœur. Je répétais le numéro des tables.

— Ne reste pas plantée là, viens manger. Hé ! Faudra être plus nerveuse tout à l'heure !

L'équipe était constituée du patron et de la patronne, Jules et Juliette, ainsi que d'une serveuse, Amélia, et d'un plongeur calme et noir, Irénée. On se mit à table tous les cinq. Je me régalai d'un gratin de quenelles. Mais très vite les premiers clients arrivèrent et j'enchaînai gaffe sur gaffe.

La première, c'est de ne pas laisser les gens s'asseoir un moment, mais de leur sauter dessus avec la carte. La deuxième est de mal noter les plats commandés. Les clients voulaient trois gratins de ravioles. Sur le bon de commande, j'écrivis « 3 gratins », alors qu'il aurait fallu écrire « Ravioles III », ou même – ce que je fis plus tard – « RAV III ». Chaque restaurant a ses codes pour que l'information passe sans encombre de la table à la cuisine et de la table à l'addition ; chaque restaurant a son propre circuit de l'assiette entre le moment où on la remplit, la sert, la débarrasse, la lave et l'entrepose, ses manières idoines de napper les tables et de ranger les couverts ; et tout cela constitue une charte de conduite autant qu'une sorte de folklore qu'il faut apprendre très vite pour que tout se passe bien. Impossible de s'y fondre en une soirée, surtout si on manque d'expérience. Juliette m'attrapa dans sa cuisine.

— T'as écrit quoi sur le bon ? Je comprends rien !

Ma troisième erreur fut de parler trop. En apportant une carafe d'eau sur une table, je disais : « Voici l'eau, vous me faites signe si vous en manquez. » C'est non seulement du temps perdu (les clients voient bien que c'est de l'eau, pardi, et ils savent en redemander), mais aussi un manque de professionnalisme. Je mis plusieurs semaines à comprendre qu'il fallait poser le pichet sans rien dire, telle une ombre.

Ma quatrième erreur, la plus durable, concernait le débarrassage. Autant j'appris à économiser mes jambes, autant je ne parvins jamais à débarrasser proprement. Je faisais comme en famille : j'empilais les assiettes sur un coin de la table, entassant les restes et les couverts dans l'assiette du haut.

— Ho ! Hé ! On n'est pas à la cantine, m'engueula-entre-deux-portes le patron.

De fait, la serveuse n'a pas le droit de prendre appui sur la table. Elle doit faire ça « en l'air ». Jules avait beau me montrer le truc, saisir l'assiette la moins sale dans la main gauche, poser l'assiette suivante sur l'avant-bras gauche, avec la main droite prendre les couverts et pousser les restes dans l'assiette du bout, puis la glisser dessous et avec la main droite prendre l'assiette suivante, etc., il me manquait un troisième bras. En repartant avec mes piles mal fichues sur mes avant-bras maigrelets, badaboum-bling-blong, je parsemais le carrelage de couverts gras.

— Hé ! Ho ! Tu passeras la serpillière après.

Cinquième erreur, aller trop vite. On croit gagner du temps, mais c'est le meilleur moyen pour s'embrouiller dans toutes les tâches à faire. Or, elles sont très nombreuses :

LISTE DES TÂCHES POUR CHAQUE CLIENT

☟

☝ Installer le client à la table désignée par Jules ☝ s'assurer du bon nappage de la table (set de table, verres, couverts, sel-poivre, etc.) ☛ apporter une carafe d'eau ☛ et la carte ☛ prendre la commande de l'apéritif ☛ apporter des cacahuètes avec l'apéritif ☝ sans se tromper dans les cubis de vin ☛ prendre la commande du repas ☝ en répondant aux questions sur des plats qu'on n'a jamais goûtés ☛ noter correctement la commande sur le bon ☛ amener le pot de vin tout de suite ☝ enlever verre à vin si pas de vin ☛ transmettre la commande à la cuisine ☛ Début du service proprement dit ☛ amener assiette de l'entrée ☛ amener corbeille de pain ☟ débarrasser assiette de l'entrée quand le client a fini ☛ amener assiette plat principal ☝ ne pas se tromper de table ☟ débarrasser assiette plat principal ☟ et couverts ☝ sans rien faire tomber ! ☛ resservir du vin ☝ le noter sur la fiche ☟ enlever pain si pas de fromage ☝ ramener pain si fromage ☛ amener carte des desserts ☛ ☝ amener cuillère à dessert ☛ prendre la commande du dessert ☟ enlever la carte des desserts ☛☝ ne pas s'embrouiller ☛☛ préparer le dessert ☝☝ bien refermer le frigo ☛☛ amener le dessert ☚ vérifier que le client a bien ☚ sa fichue cuillère ☟☛ débarrasser assiette à dessert ☛☝ demander si ces messieurs dames veulent ☛ des cafés ☛☝ amener cafés ☛☝ et le gros pot avec ☝ tous les sucres ☝ et sucrettes ☝☝ ne pas oublier ☝ d'ajouter le nombre de cafés ☛☟ sur la note accrochée sur le panneau ☛☛ débarrasser les tasses ☛☛ resservir d'eau si besoin ☝☛ amener du feu ☚ aux fumeurs ☚ de la terrasse ☛☝ faire la conversation ☟☛☝ débarrasser la table ☚☝ les diriger vers le ☚☛ patron pour ☟☟ l'addition ☛☛☛ nettoyer la table… ☛☛

☟

et rester souriante !

Chaque table ayant son tempo, on ne peut pas regrouper les gestes à faire. Il faut apporter d'une main la carafe d'eau de la Dix tout en ayant les desserts de la Onze sur les avant-bras, puis revenir en prenant la commande de la Trois sur le bloc glissé dans sa jupe. On ne peut ralentir ni accélérer le rythme des clients. Ça gueulait parfois en cuisine à ce sujet :

— Ils ont fini l'entrée à la Douze ?
— Les amoureux ? Non, ça papote.
— Ils font chier ! Ça va être froid.

— La suite pour la Deux !
— Ouais ben, ils attendront !
— Ils sont pressés, ils vont au cinéma !

Dans une telle agitation, les erreurs de lisibilité sur le bon de commande peuvent avoir des conséquences graves… Enfin, la gravité consiste à se faire engueuler par les patrons.

— Je t'ai déjà dit d'enlever la carte des desserts quand ils ont choisi, sinon je sais plus où j'en suis, moi !

— T'as pas marqué l'accompagnement de la viande. Va le demander tout de suite.

Or, le charmant « tout de suite » d'une serveuse est déjà mobilisé par les innombrables tâches qu'il faut mentalement mettre à jour, en biffer certaines dans sa tête et en ajouter d'autres, infailliblement. Pour toutes les tables savoir où le client en est. Mon cerveau, pour prendre une métaphore informatique, devait sans cesse être « rafraîchi » pour être capable, au milieu de ce tourbillon, non seulement de suivre le rythme, mais aussi d'intégrer les demandes inopinées :

Vous pouvez
me servir le steak avec
des frites plutôt qu'avec
du gratin de pommes
de terre ?

Savez-vous s'il y a des
amandes dans
le cake
maison ?
Je suis allergique.

J'aurais
besoin
d'une facture
avec
la TVA.

Vous pourriez
me remettre l'assiette
au chaud ? J'ai dû passer
un coup de fil un
peu long…

Face à ce bombardement d'informations, il faut avoir l'esprit rapide, mais les gestes calmes. Les clients n'aiment pas être servis par une employée stressée, ils préfèrent avoir affaire à une hôtesse bienveillante. « Dans le doute, faut avoir l'air sûre de toi », me conseilla Amélia.

Surtout que Jules et Juliette aimaient à bichonner les clients.

— Les gens y viennent ici pour qu'on leur cause, pas pour de l'abattage, me confia le patron quand le coup de feu fut passé. Faut leur faire la causette, tranquillement, pas au milieu de leurs tête-à-tête. Quand tu vois qu'ils sont en pleine déclaration d'amour, tu leur fous la paix. Par contre, s'ils s'emmerdent, faut les faire rire un peu. S'ils nous laissent de l'argent en partant, ce n'est pas que pour le repas, c'est pour l'accueil, l'atmosphère…

Le patron était très fort dans ce badinage. Surtout quand les clients devaient payer l'addition, il leur demandait toujours si *ça s'était bien passé,* il les tchatchait avec une agréable familiarité. Amélia avait un bagout du tonnerre, elle en tirait de bons pourboires. Moi, je n'avais pas l'esprit à faire des blagues, alors, pour cacher mes gaffes, je souriais. Qu'est-ce que j'ai pu sourire dans ce restaurant !

En un éclair, il fut vingt-deux heures. À vingt-trois heures, j'essuyais les verres avec Jules qui me donnait sa vision du métier. Quand tout fut propre, prêt pour recommencer la même noria le lendemain, Jules donna cinquante euros à Irénée, cinquante euros à moi. Puis il me dit : « Je t'appelle dans la semaine. »

9

J'avais sacrément envie de revenir. Pour l'argent, bien entendu, ces billets que j'étalais sur mon bureau, les manipulant avec délices avant de les convertir en courses substantielles et autres besoins urgents ; pour le repas copieux que j'avais pu faire avant le service ; parce que ce restaurant servait de la bonne cuisine ; parce que j'y avais éprouvé, même en amatrice, le plaisir de chouchouter les clients ; parce que l'avantage de travailler dans un bouchon est d'avoir affaire à des gens contents d'y entrer, un lieu où les erreurs de la serveuse sont sans trop d'importance, contrairement à ces métiers où le moindre aiguillage manqué peut conduire à la catastrophe, dans la restauration rien n'est grave, un client ne sera pas traumatisé par une corbeille de pain en retard ; parce que, malgré la fatigue qui me sciait les jambes le lendemain, j'avais éprouvé le vertige de ces heures filant à vive allure, le temps comme annihilé par la magie du travail. Sensation oubliée depuis si longtemps.

Il était minuit passé quand je rentrai chez moi et je n'avais, pendant six heures, pas *touché terre*. Après des années à errer sans contraintes dans d'interminables heures, dont chacune me rappelait la précarité de ma situation, je redécouvrais à quel point le travail, *a fortiori* le travail physique, est un excellent moyen de chasser l'angoisse. Rien de plus addictif que ce sentiment de suspension de soi. Fini les monologues en huis clos, fini le vague à l'âme. Devenir un outil dans une chaîne, efficace et rapide. Enfin, il y avait la satisfaction d'être utile. Avant de finir chez Jules&Juliette un soir où ils avaient un besoin urgent de personnel, j'avais subi deux entretiens d'embauche dans d'autres établissements. Ils étaient restés sans suite. À cette époque, pour servir des limonades, les patrons recevaient une cinquantaine de CV de filles hyper-qualifiées. J'avais éprouvé, après ces échecs, un sentiment de chagrin, d'humiliation et de honte. Devoir garder par-devers moi mon énergie heurtait une valeur profondément inscrite dans mon organisme. Du coup, reprendre un travail me donna une vitalité nouvelle ; tout en étant dix fois plus fatiguée qu'auparavant, je sentis mes forces décupler. Une fierté bêtasse ne me quittait plus. J'étais capable de m'acquitter d'une mission. Je pouvais répondre à la question qui énervait tant Hector : « Qu'est-ce que tu deviens ? » Je voyais partout les signes d'une activité frénétique. Camionnettes d'électricien, boulangers lève-tôt, livreurs speedés, toute la ville m'apparut engagée dans une grande valse laborieuse, valse qui devenait visible à l'instant même où j'y prenais part, tant il est vrai que le point de vue que nous avons sur le monde dépend de la place qu'on nous y fait.

Jules m'appelait le vendredi pour que je vienne le soir même et souvent le lendemain. Que j'étais contente quand je voyais son numéro s'afficher sur mon portable ! « J'ai une grosse réservation ce soir, tu peux venir ? » disait-il sans ambages. J'attendais le jour où, pour nous faciliter la tâche, Jules aurait mis en place un planning ; ce jour n'arriva jamais. En tant que patron, il avait besoin d'une extra serviable à merci, pas d'une employée dont il serait responsable. Ce ne devait pas changer. Mais, ignorant les usages, je crus naïvement que j'avais trouvé un travail pérenne.

La seule qui était embauchée, c'était Amélia. D'origine anglaise, elle était préposée aux tables de touristes. Elle ne les aimait guère.

— Ils bouffent rien, ces Américains… Regarde ce qui reste dans leurs assiettes !

Juliette détestait qu'on ne finisse pas les plats.

— Pourquoi y z'ont commandé un tartare ? Un Américain, ça le bouffe jamais. Y mangent que de la viande qui ressemble pas à de la viande !

Ou encore, quand nous mangions en équipe et qu'un couple de grands Blancs en chaussettes montantes poussait la porte :

— Tss… Encore ces Allemands qui ne peuvent pas nous laisser bouffer tranquilles.

Le service ne commençait pas avant dix-neuf heures. Si les premiers clients étaient bien traités, ceux qui arrivaient pendant le coup de feu, Jules les glissait dans un coin, et, pour peu qu'ils soient discrets, les oubliait. Cela m'apprit quelque chose d'utile. Dans un restaurant, vous avez toujours intérêt à vous faire identifier : rigolo ou désagréable, accablé d'enfants ou dragueur, il faut qu'on vous mette une étiquette. Le service en est grandement facilité.

— L'entrecôte pour la Huit.

— Le beau gosse ? J'y vais tout de suite.

— T'as la crème brûlée pour la Cinq ? Il est pénible, le mec.

— Oh ben, le pénible, demande-lui tout de suite s'il veut un café, qu'on s'en débarrasse.

Jules m'engueulait souvent à cause de mes maladresses. Plusieurs fois je crus qu'il allait me virer après le service. Mais, à onze heures du soir, quand le rythme baissait et qu'on essuyait des verres ensemble (ce que j'ai pu en essuyer, des verres, à cette époque, à m'en déboîter l'épaule, il ne fallait pas une trace dessus !), Jules me confiait des anecdotes au sujet de sa longue vie de restaurateur. Juliette sortait de sa cuisine et m'offrait une part de fondant au chocolat. Amélia renappait les tables en commentant la gueule des clients. Irénée continuait la plonge, entrecoupant son travail de quelques proverbes de son pays. Tout le monde se vouvoyait de nouveau. Régnait entre nous la satisfaction simple du travail bien fait. Sauf les soirs où, contre toute attente, il n'y avait personne. À vingt et une heures, résigné, Jules me donnait vingt euros en disant :

— Rentre chez toi. Ce soir, on est d'dans.

D'autres fois, surtout le samedi, le service était dantesque. Il fallait être en forme, physiquement et mentalement. Je ne terminais pas mon travail avant deux heures du matin, et même dans mon lit je ne pouvais dormir tant mon esprit restait excité par toutes les informations dont il avait été bombardé. Souvent, le dimanche matin, je m'installais à la terrasse du snack voisin et m'offrais, grâce à mes pourboires, un luxueux café-croissant. Un jour, le patron du snack m'adressa la parole. « Vous travaillez chez Jules&Juliette ? » Il m'avait vue servir la veille en terrasse. Je lui répondis que oui, j'étais leur extra. Le type me regarda avec respect. Il me demanda si « ça bossait beaucoup » là-bas. On discuta un moment. Une complicité se tissa entre nous, provoquant dans son esprit et dans le mien, simultanément, un changement de case. La veille, il me considérait comme une artiste louche ; moi, je me méfiais de lui comme d'un petit commerçant frontiste. Et voilà que nous discutions des bouchons du quartier, ceux où l'on cuisinait bien, ceux où l'on arnaquait les clients. « On s'est fait exploser hier soir. » « On a fait cent couverts, ils nous ont laminés. » Je pouvais dire ça à ce patron de snack. Nous avions quelque chose en commun. De chômeuse parasitaire, je devenais une collègue, une consœur dans la grande humanité de Ceux Qui Triment.

Le métier rentrait. Mes mains me semblaient plus mains. Mes pieds me semblaient plus pieds. Ma fatigue prouvait le retour de mon corps dans la vie active, la seule reconnue, et la plus inaccessible. Le monde n'était plus cette chose convexe et insaisissable, il devenait des clients à faire manger le soir.

10

Jules et Juliette me donnèrent régulièrement du travail, pendant plusieurs semaines, puis, sans raison apparente, ils m'appelèrent moins. Mais c'était maintenant l'été, la saison battait son plein, plusieurs restaurateurs retrouvèrent mon CV. Je fis des essais un peu partout.

Il y a toutes sortes de patrons dans la restauration : le patron qui bosse comme un acharné, celui qui arrive à vingt-deux heures et s'enfile des demis pendant que tu cours partout ; il y a le patron qui t'interdit de boire une bière après ton service, celui qui refuse que tu serves en pantalon ; il y a la patronne qui connaît chaque client par son prénom et celle qui les insulte, le patron qui va fumer toutes les dix minutes et ne rentre que pour encaisser, celui qui jette trente baguettes de pain tous les soirs, celui qui trie le moindre déchet ; il y a le patron qui paye en arrondissant au-dessus, celui qui rogne sur les pourboires des serveuses, celui qui, avec l'argent de la boîte, paye du homard à sa copine ; il y a le patron qu'on peut arnaquer facilement ; celui qui déclare toutes vos heures, celle qui vous assaille de trop de consignes, celui qui ne vous explique rien ; il y a la patronne qui craint de ne pas pouvoir rembourser le crédit, celle qui change de personnel toutes les semaines... Et ça bossait, et ça trimait, et ça turbinait. Les employés, je pouvais comprendre pourquoi. Mais, les patrons, c'était plus mystérieux. Ce sont eux qui se tapaient le plus de maladies professionnelles. Ils disaient : « On peut pas s'arrêter » ; « On n'est pas aux trente-cinq heures. » Moi, je voyais les clients qui payaient vingt-cinq euros leur menu, multipliés par quarante couverts, sans compter le vin. J'avais du mal à comprendre comment on pouvait être obligé à ce point de ne *jamais* s'arrêter. Jamais de vacances, jamais d'arrêt maladie, la crainte de la faillite, la haine du chômage. Il y avait bien entendu la question du crédit, ces satanées charges, mais je ne m'enlèverai pas entièrement du crâne que le travail, c'est aussi de la came, du chasse-conscience, c'est l'évacuation de soi par un moyen extérieur. L'un d'eux me le dit franchement :

— J'ouvre tous les jours, parce que sinon, chez moi, je m'emmerde.

Mais pourquoi aucun de ces patrons ne voulait me garder ? Je ne faisais pas de grosses gaffes, on ne me disait jamais rien, mais on ne me rappelait pas. Après un passage dans une pizzeria douteuse, un comptoir de steaks végétariens et deux soirées *catering* à tendre des coupes de champagne aux édiles locaux, je fus appelée par une cave à vin. De nombreuses caves s'étaient montées à Lyon, les Français se voulant tous œnologues, ou, à défaut, alcooliques. Je ne pensais pas y rester longtemps, vu mon ignorance en la matière. Mais le patron, un fils de grands viticulteurs prénommé Patrick, n'y accorda aucune importance. En guise de formation œnologique, il me dit :

— La carte des rouges va des plus légers aux plus tanniques. La carte des blancs, des plus secs aux plus sucrés. Tu indiques sec/sucré, léger/lourd, ça suffit largement. La plupart des clients ont un vin préféré, ils n'y connaissent rien et reprennent toujours le même. Si tu ne sais pas quoi dire, tu prends la ligne du milieu, c'est du syrah qui plaît à tout le monde. En blanc, tu leur refiles du Vieilles Vignes, c'est ma plus grosse marge. S'il y a un client qui t'emmerde, tu me le dis, j'irai le voir.

Cette formation fut complétée par les nombreux vins que je pus goûter sur place. Au moins, Patrick n'était pas regardant là-dessus. Pour le reste, je suivis le conseil d'Amélia : avoir l'air sûre de soi. Aussi, dès le premier jour conseillai-je sans frémir dix touristes japonais venus faire escale dans ce lieu *so typical* de la culture française.

L'équipe était, comme souvent, complétée par un Noir à qui était dévolue la tâche ingrate d'essuyer les nombreux verres, en sus de toute la plonge. Ce Noir s'appelait Hubert. Il me montra comment remplir les machines à vaisselle, ce qui lui permettait de sortir fumer un moment.

Cette cave s'appelait La Cave des Fous, mais moi je l'appelais La Cave des Cons, La Cave des Riches ou La Cave des Caves. Ce lieu me déplaisait, parce que je ne pouvais pas y faire un bon repas. Patrick arrivait en même temps que moi, à dix-neuf heures vingt, et ouvrait dix minutes plus tard. Car Patrick servait uniquement des plats labellisés Métro. Toute la soirée, je mettais des barquettes au micro-onde, renversais leur contenu dans des assiettes, décorais celles-ci de persil frais ou de zigzags de vinaigre balsamique en tube avant de servir avec le sourire. Et les clients qui me disaient : « Vous féliciterez le chef... »

La raison principale pour laquelle je n'aimais pas travailler là-bas, c'était la clientèle. L'établissement était un des plus courus de la ville. Y venaient des étudiants des écoles de commerce, des conseillers fiscalistes, des agents immobiliers, des pétasses liposucées, des rupines siliconées, des avocats de droit privé. À mes yeux, ils avaient tous la même tête. Tous des pénibles qui ne me laissaient jamais de pourboires. Tous de la race de ceux qui servent contre

ceux qui sont servis
ceux qui roulent en taxi
ceux qui sont nés à Trifouillis-la-Tirelire
    plutôt qu'à Sans-le-Sou
ceux qui parlent avec une patate chaude
    dans la bouche
ceux qui n'ont jamais pris le bus
ceux qui palpent des bonus
ceux qui se font manucurer
ceux qui vivent en notes de frais
ceux qui ne finissent jamais leur assiette
ceux qui fromage, dessert, café et p'tite liqueur
ceux qui résidencent secondaire
ceux qui indécencent ordinaire
ceux qui ont des coupe-files
ceux qui nettoient les centres-villes

ceux qui cours de la Bourse
ceux qui court de tennis
ceux qui
ceux qui
et ceux qui

J'étais payée 10 euros l'heure, mais quand Patrick encaissait trois mille euros par soirée, je le trouvais gonflé de ne pas m'augmenter ou de ne pas faire une promesse d'embauche à Hubert. Car, sans mentir, nous faisions tout le travail. Patrick, une fois les tables installées, se planquait dans un coin avec ses potes. Sa vision du métier différait de celle de Jules.

— Ça fait dix ans que je tiens cette cave. Des clients, j'en ai vu. Quand tu passes cinq jours par semaine à recevoir de trente à cent personnes, au final t'as une petite idée de l'espèce humaine. Les gens sont des cons. Surtout les hommes. Des crétins. Regarde : ils ne savent même pas trouver les toilettes. Les vieux cons, ceux qui font les snobs, je les déteste. Les petits cons du beaujolais nouveau, je ne les supporte pas. De la viande saoule. Alors, moi, j'ai quatre potes, et je ne parle qu'à eux. Le client, s'il est pas content, il va voir ailleurs.

Les jeunes et les vieux cons rapportaient beaucoup à Patrick. Une bouteille de crozes-hermitage lui coûtait 6 euros. Il faisait payer le premier verre 5,50 euros. Ça montait à 7,50 pour les vacqueyras, gigondas, chablis, givry ; 8 euros pour les côtes-de-beaune. Ces cons de clients ne rechignaient jamais. Ils commandaient même un deuxième verre, puis un troisième. Ils payaient trois heures de mon salaire pour un menu entièrement décongelé. Ils sortaient la carte bleue sans sourciller. Ça me rendait dingue.

11

Hubert et moi avions pris l'habitude de siroter un verre avant le service. Un soir, Hubert ne vint pas. Je m'en inquiétai auprès de Patrick.

— Je l'ai viré, me répondit-il. Je n'avais plus besoin de lui. Et de toute façon, y a des problèmes à garder trop longtemps ces gens-là.

Je criai en moi-même que « ces gens-là » avaient bien des avantages. Avec le traditionnel plongeur sans papiers, pas de prime de départ, pas de procès pour accident du travail, pas de revendications salariales... Mais aucun son ne sortit de ma bouche.

— Tu comprends, mon frère Charles est revenu de Paris. Sa femme l'a plaqué. Je ne peux pas le laisser sans travail, c'est mon frère. Dès ce soir, il servira en salle avec moi.

— Et moi, je fais quoi ?

— Je te garde à la plonge. C'est pour ça que j'ai viré Hubert. Mais t'inquiète. Dès que mon frère retrouvera du boulot, tu repasseras au service.

Ce management, comme qui dirait, m'estomaqua.

C'est ainsi que je devins plongeuse, confinée dans l'arrière-cuisine. Et qu'est-ce qu'une arrière-cuisine, sinon un arrière-plan, une arrière-cour où l'on est reléguée avec ses arrière-pensées solitaires, pétries d'un arrière-goût d'humiliation ? Si je me retrouvais là, après un été à chercher de l'embauche, c'était ma faute, pensai-je. Ma bonne volonté n'avait pas suffi. J'étais souvent maladroite, je n'avais pas le bagout des filles de l'école hôtelière, ni leur technique. Physiquement, ce n'était pas tenable, et socialement c'était une impasse. Ma reconversion était un échec, parce qu'elle avait été envisagée comme un pis-aller. Or, les patrons sentaient que je n'étais pas du métier. Ils avaient, avec raison, horreur des touristes de mon espèce. J'aurais mieux fait de chercher un métier dans la continuité de mes études plutôt que de me retrouver coincée entre un sous-travail épuisant et un chômage affamant.

Je fis rapidement la connaissance de Charles, le frère de Patrick ; il franchissait les portes battantes séparant la salle de mon petit réduit aussi discrètement qu'un sénateur aviné. Chaque fois, il me faisait des remarques du type : « Voilà pour la plus belle » ; « N'abîme pas tes jolies mains, ce serait dommage » ; « Y a un mec qui veut t'épouser dans la salle. Tu sais quoi ? C'est moi ! »

Tous les soirs, *tous les soirs*, TOUS LES SOIRS, il me demandait ce que je faisais après le service : « On va boire un verre ? » ; « Ça te dit, un extra dans mon lit ? » ; « Dommage, c'est triste de dormir toute seule… » Je riais nerveusement, cherchant la bonne repartie. Charles se croyait drôle : « Quand est-ce que tu m'invites dans ton bac à vaisselle ? » ; « Tu fais du 90B ? J'ai l'œil, hein ! » Et si je le remettais à sa place : « Ça va, c't'un compliment. Putain, on peut plus rien dire. T'es pas féministe, au moins ? »

Je montrais ma lassitude. Ses remarques ne me faisaient pas rire, je n'étais pas là pour ça, d'ailleurs j'avais un petit copain. En vain. « Je ne suis pas jaloux, je veux bien qu'il regarde » ; « Vous faites l'amour combien de fois par semaine ? » ; « Il te demande des trucs cochons ? »

Quelle plaie, cet homme ! Des frissons de haine me parcouraient la nuque dès qu'il poussait les portes. « Vas-y, astique, astique ! Même quand tu touches une assiette, ça m'excite... » ; « Ah, je comprends pas les pédés, c'est si beau, une femme ! »

J'avais beau dire que, non, il ne m'intéressait pas, que j'en avais marre de son manège, que je voulais bosser tranquille, débloque, Charles continuait. Ah, si mes mains, en lavant les verres, avaient pu chaque fois effacer ses remarques grasses... Hélas, je ramenais chez moi ses insinuations dégradantes. J'en pleurais de rage dans mon lit. Charles était typique de la calamité mondiale appelée LE MEC LOURD.

Sûr de lui Fier de sa queue	**LE MEC LOURD**
Il drague tout ce qui bouge	**LE MEC LOURD**
Il lâche jamais	**LE MEC LOURD**
Ça vous rabaisse	**LE MEC LOURD**
Ça se croit drôle	**LE MEC LOURD**

Il se croit irrésistible	**LE MEC LOURD**
Tout l'excite	**LE MEC LOURD**
Alors il insiste	**LE MEC LOURD**
Une bite sur pattes	**LE MEC LOURD**
Des yeux qui pèsent trois tonnes	**LE MEC LOURD**
Il prend le pouvoir	**LE MEC LOURD**
Il vous dira ma petite	**LE MEC LOURD**
Il vient gratter à votre porte	**LE MEC LOURD**
Je lui couperais bien les couilles	**AU MEC LOURD**
Je plaisante, ben quoi, il n'a pas d'humour	**LE MEC LOURD ?**

12

Un soir, je volai une bouteille de corbières. Patrick ne s'aperçut de rien. Alors, je piquai d'autres bouteilles. Des plats préparés. Des verres. Une carafe. Une assiette. C'était ridicule, mais je ne pouvais m'en empêcher. Comme si, par ces larcins minables, je me vengeais de l'outrage qu'on me faisait. Mon mépris pour Patrick en fut renforcé. Je le trouvais aussi con que ses clients, je ne lui parlais quasiment plus. Il avait réussi à me refiler sa haine des autres.

C'est pourquoi je fus très surprise de recevoir la visite de Bertrande. C'était un jeudi. Mon con de patron fumait une saloperie de clope avec ses crétins d'amis. J'étais toute seule à m'activer, essayant d'échapper aux griffes de Charles. En voyant Bertrande entrer, mon cœur sourit dans sa grisaille. Cette vieille et bonne Bertrande, que faisait-elle là ?

— Mais je suis venue te voir, pardi !

Je me demandais comment elle savait que je travaillais ici. Depuis trois mois, j'avais écrémé tant d'établissements...

— Oh, tout se sait dans le quartier. Une vieille dame comme moi, on lui raconte tout.

Je lui offris un verre de pinot.
— Il est bien bon.
Elle m'apprit alors qu'elle partait en voyage.
— Tiens donc ! Où allez-vous ?
— Je ne sais pas encore. Je cherche un pays où les matinales radiophoniques sont moins belliqueuses.
— Ce n'est pas un critère touristique.
— C'est le mien.
Elle ajouta :
— Mais je reviendrai. J'ai trop d'engagements ici.
J'avais repris mon air maussade en songeant à la plonge que me laissaient tous ces connards qui buvaient du pommard en comparant leurs Rolex.
— Ah là là ! Que de mauvaises pensées sordides ! désapprouvalut Bertrande.
— Quelles mauvaises pensées ?
— Celles que tu viens d'avoir.
— Vous lisez dans mes pensées, maintenant ?
Je n'étais pas tellement surprise. Bertrande avait toujours eu un petit côté sorcière.
— Vous ne les fréquentez pas comme moi. Je l'avoue : je les déteste. Surtout Charles. Je le hais.
— Au sujet de ce garçon : as-tu pensé à demander une aide adjuvante ?
— Une aide adjuvante ? [*J'avais oublié les pléonasmes de Bertrande.*] À qui ? À la police ?
— À ton patron, pour commencer. C'est lui, le responsable du climat moral, ici...
— Mon moral ? Patrick s'en fout.
— Qu'en sais-tu ? Les choses ne sont jamais ni aussi mauvaises ni aussi bonnes qu'on croit.

— Hum ! J'ai l'impression d'avoir déjà lu ça quelque part.

Je vidai une machine à verres, puis revins écouter ma bonne fée.

— On peut toujours se sortir d'une mauvaise passe, c'est une question de savoir se défendre.

— Mais j'ai besoin de ce travail ! Ça n'a pas marché ailleurs. Je n'ai pas le courage de démissionner, après tous ces essais…

— Va te plaindre à ton patron. Prends un ton solidement ferme, mais posément calme.

— Je le ferai, mais je n'y crois pas.

— De toute façon, c'est ta dernière chance ultime.

Et Bertrande disparut de ma vue.

13

Le lendemain, je me plaignis de Charles à Patrick. Calmement et fermement. Je ne pouvais pas travailler dans ces conditions. C'était du harcèlement. Je voulais revenir en salle comme serveuse.

Patrick m'envoya promener.

— En salle, on est déjà deux. Toi, t'es à la plonge. Si t'es pas contente, tu peux partir. Y a plein de filles qui voudraient ton poste.

J'avais postulé pour être serveuse, pas plongeuse.

— Et alors ? Va dans d'autres restos, tu comprendras dans quel luxe tu bosses ici. Tout est fait dans des machines. C'est pas difficile.

Fallait tout de même les remplir et les vider, ces machines ; dans la chaleur, c'était pénible, et tout ne se nettoyait pas bien. Et son frère...

— Mon frère, il t'asticote. Laisse-le dire.. Il est comme ça, le frangin, l'a jamais violé personne. Allez, je t'en veux pas, file préparer les desserts, les clients vont arriver.

Patrick dut tout de même en toucher un mot à Charles-le-Lourd, car le soir même : « Alors, chérie, on a peur de moi ? C'est excitant ! » ; « Que vos beaux yeux me plaisent… » [*rire gras*] ; « Ça va, là, je suis pas impoli ? » ; « Je peux te raccompagner, ce soir ? Je voudrais pas que tu te fasses violer. »

Je passais des heures à envisager toutes sortes de scénarios pour que Charles meure, quitte Lyon, tombe malade ou jette son dévolu sur quelqu'un d'autre. Ma haine était si intense que je compris l'expression « avec préméditation ». Je l'aurais tué. Ses remarques s'aggravèrent encore : « Tu sais, mon engin, il fait dix-neuf centimètres. Simple information » ; « Entre nous, as-tu le minou pelé ? » Mais, jusque-là, Charles ne m'avait jamais touchée physiquement.

Un soir, il entra dans l'arrière-cuisine sans que je m'en aperçoive. Voulait-il me faire des chatouilles ou me caresser les seins ? Je ne le saurai jamais. Je vis juste ses mains passer de chaque côté de mes hanches – je crus qu'il voulait me ceinturer. Il ne put terminer son geste : affolée, je me retournai et le frappai un grand coup.

— Dégage !

Les poings en avant, je l'atteignis à la hauteur de la glotte. Il tomba à genoux, hoquetant. Ce premier geste de violence libéra en moi une force immense. Je saisis une **—o** poêle et le frappai :

Tu me fais chier !!!!!!
Tu me fais chier !!!!!!!!!!!!!!!!!!
! Tu me fais CHIER !!!
Et je lui tapais **BaNg**
BInG
BoNG BoNG **BInG** !
BInG ! **sur la tête**
y avait du sang partout

Cela fut, vous l'imaginez bien, ma dernière soirée dans la restauration. Mais ce fut un moment absolument délicieux. Charles criait de terreur. Je l'aurais occis avec plaisir si mon visage n'avait pas soudain encaissé un coup. Patrick était intervenu. Dans l'image suivante, nous sommes dans la salle, au beau milieu des clients. Ce fut un scandale sans nom. Je criai : « Il l'a bien cherché ! Il l'a bien cherché ! » Charles sortit, le visage tuméfié, en hurlant que j'étais une salope, une salope. Je saisis une bouteille de vin sur une table et la lui lançai à la figure. « N'approche pas ! » La peur autant que la haine me faisait crier – et, pour être honnête, cette peur est toujours tapie au fond de moi, car le cœur me bat d'effroi quand je crois reconnaître la silhouette de mon harceleur dans la rue –, Patrick hurla : « Tu t'en vas ! Tu te casses ! » Je criai : « Mon manteau ! Donne-moi mon manteau ! » Tout mon corps tremblait. Patrick me fourra mes affaires dans les bras et me poussa violemment dehors. Les clients étaient médusés ; aucun n'intervint. Le cœur battant à tout rompre, je courus jusqu'au commissariat. Dans ma main je tenais encore la poêle à laquelle pendouillaient des bouts de cuir chevelu charlesque et sanguinolent. C'est peut-être pour cette raison qu'en écoutant mon récit le policier de garde me dit que, hum-hum, c'était un peu délicat de porter plainte, parce que c'était moi, ce soir-là, l'agresseur.

*

Personne ne déposa de plainte et on en resta là. Je rentrai chez moi dans la nuit. J'avais peur. J'avais mal. C'est peu dire que je broyais du noir. La vie était trop dure. J'en avais marre d'être dans la dèche, marre de bosser pour des clopinettes, marre des factures éternelles et des étés sans vacances. Je me battais depuis des mois, sans relâche, y aurait-il jamais de répit ? À l'âge de deux ans, on m'avait mise à l'école, et que furent les vingt années qui suivirent, sinon une course après les bonnes notes, les compliments, les concours ; ensuite j'ai couru après un diplôme, après un conjoint, après une carrière ; pour finir j'ai couru après une allocation, après dix minables euros ; à défaut d'être parvenue à quelque chose, il arrive un moment où, quand une injustice trop patente vous est faite, il ne vous reste plus qu'à quitter la course.

BON
US

1. Index des principaux auteurs cités, pillés ou dissous

❛ ❜

2. Scènes coupées

EXTRAIT D'UNE QUATRIÈME PARTIE ORIGINELLE

Je me relève et paf ! je me cogne sur un panneau :

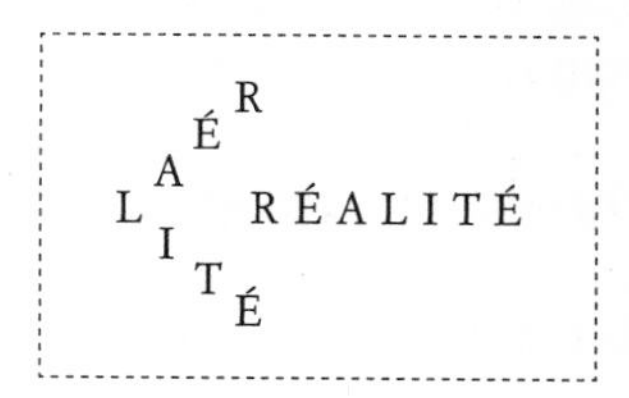

Ah, enfin, j'allais pouvoir me sortir de ce traquenard. Je marche avec hâte dans la direction indiquée. Mais à peine ai-je fait quelques mètres que je rencontre trois boucs postés sur un promontoire. Le premier bouc, chevelu et soucieux, me dit :

— Vous n'allez pas de ce pas vers la réalité.

Le deuxième bouc, plus barbu et plus sourcilleux, dit :

— Ce sens n'est pas le sens de la réalité.

Je pivote pour leur montrer le panneau, mais il a disparu. C'est alors que le troisième bouc se juche sur ses pattes arrière et crie :

— Je sodomise le chef de l'État ! Je sodomise le chef de l'État !

Les deux autres bêtes sont consternées. Je trouve cela un petit peu vulgaire. Je n'ai pas une grande admiration pour les chefs d'État, mais tout de même, dis-je...

— Excusez-le, dit le premier bouc. C'est à cause du récit d'Hector chez Sirine, ça l'a excité.

Cette remarque me redonne courage. Si les boucs ont pu lire la partie précédente, il y a une logique possible dans cette histoire. Je l'excuse de bon cœur et je leur demande comment faire pour rejoindre la réalité.

— C'est le chemin derrière vous, répond le premier bouc.

— C'est exactement dans l'autre sens, renchérit le deuxième.

Et, en effet, à peine me suis-je retournée qu'apparaît un autre panneau :

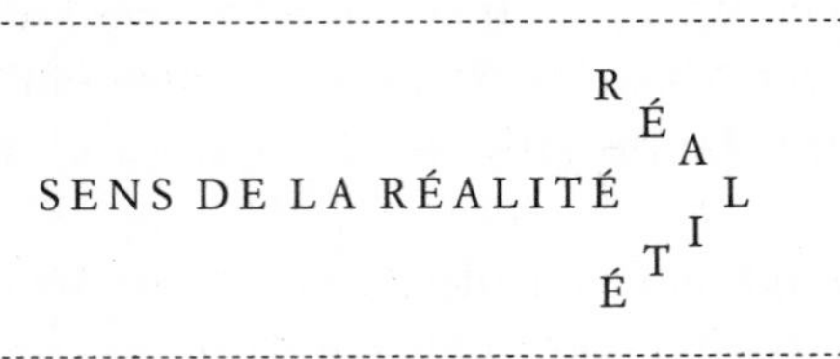

— Je lyophilise le sel d'Étretat ! bêle le troisième bouc. Je lyophilise le sel d'Étretat !

— Ah, c'est mieux.

— Oui, c'est plus courtois.

— Mais ça n'a pas de sens.

— Ce n'est pas le sens qui compte, c'est la direction, m'interrompt le premier bouc, le plus porté à me secourir.

Je salue le trio et pars sur le chemin indiqué. Mais, au risque de m'assommer, un troisième panneau se dresse devant moi :

DIRECTION DU SENS DE LA
RÉALITÉ
RÉALITÉ

— Rien d'étonnant, dit le deuxième bouc en se frottant la barbiche. Vous n'étiez pas dans le sens de la bonne direction.

— De quelle direction parlez-vous ? J'ai pourtant suivi vos indications, dis-je en revenant sur mes pas, énervée par ce manège.

— Vous n'aviez pas pris la direction du bon sens, dit le premier bouc. Regardez la flèche.

— Je cryolise le miel de tata! Je cryolise le miel de tata !

— Faites-le taire, à la fin, c'est agaçant !

Des yeux, je cherche la flèche dont vient de me parler le premier bouc. Je crois défaillir en voyant qu'un autre panneau est apparu :

“

RÉALITÉ

RÉALITÉ (DANS SON BON SENS)

3. Note d'intention

Lettre de candidature envoyée en avril 2014 à la responsable de la résidence De Pure Fiction (Lot).

Chère Isabelle Desesquelles,

Chaque fois que je commence un livre, j'ai l'impression d'écrire le contraire du précédent. Mon premier texte, *La Cote 400*, est un monologue de bibliothécaire déjantée ; le deuxième, *Journal d'un recommencement*, une promenade phénoménologique au cœur de l'Église catholique en ruine ; le troisième, *La Condition pavillonnaire*, retrace une existence parmi d'autres dans un pavillon individuel. Enfin, mon quatrième roman, celui que je voudrais finir dans la résidence d'écrivain que vous avez fondée, *Chômage* (titre provisoire), raconte d'une manière libre et humoristique les tribulations d'une chômeuse.

Ce roman réclame lui aussi des moyens nouveaux pour parvenir à ses fins. Je me vois prendre une direction que je ne connaissais pas, ce qui n'est pas pour me déplaire. Ce sera sans doute un roman dialogique, dans la tradition de *Jacques le fataliste*. Quelque chose peut-être aussi de Sterne, dans la liberté des digressions. Le récit est interrompu par la mère de la narratrice, qui s'inquiète de sa situation financière, par son meilleur ami, par des lecteurs et des lectrices qui interviennent, commentent le texte, voire protestent contre le sort qui leur est fait...

‘ ’

C’est aussi un récit classique, qui fait appel à l’empathie, et se déroule en trois parties faites de chapitres courts. Ce roman raconte une histoire : la recherche d’emploi d’une jeune précaire. Sans prétendre dresser un tableau objectif du chômage, je voulais que ce livre reflète quelque chose de nos misères contemporaines, quelque chose d’à la fois prosaïque et urgent, du ressort de la nécessité économique. Mais sans pour autant faire un document sur la misère, ni un manifeste. Je ne voulais ni écrire *La Faim* de K. Hamsun, ni *Dans la dèche à Paris et à Londres* de G. Orwell, même si ces deux livres m’ont fortement marquée, notamment par leur statut isolé dans la littérature.

Ce roman, je le veux résolument joyeux et volontairement « interruptif », m’inspirant de ce que l’écrivain franco-américain Raymond Federman a fait dans *Amer Eldorado* ou *Retour au fumier*. Le quotidien d’une héroïne qui se débat sans argent, sans emploi, peut facilement être triste, or je ne voulais pas un livre plombant. J’ai commencé à écrire ce texte pour m’amuser. Après le travail d’alliage des contraires que m’avait demandé *La Condition pavillonnaire*, j’ai voulu prendre un chemin opposé et laisser libre cours à mon imagination, sans rien m’interdire. Les objets se sont mis à parler, le diable à apparaître, les listes à s’allonger dangereusement, la typographie à s’agiter… C’est ainsi que, alors que j’ai intellectuellement grandi sous l’influence d’une écriture *blanche* ou *plate*, en tout point sérieuse, j’ai abouti à son exact contraire, une écriture *gondolée*, pour ainsi dire.

Mais ne nous y trompons pas : ce n'est pas le chômage qui est drôle, c'est la littérature qui peut être une fête.

Comme vous pouvez le constater, il y a beaucoup d'éléments dans ce livre, c'est pour l'heure un grand fourre-tout. J'ai besoin d'y voir clair. Or, publiant un livre en septembre et travaillant à mi-temps, je crains de n'avoir pas le loisir de m'y remettre calmement avant de longs mois, d'où l'intérêt pour moi de venir finir le travail d'écriture dans le calme que permet la maison « De Pure Fiction ».

REMERCIEMENTS

Bernard Lahire

Centre national du livre

Geneviève Villard et la Direction
de la culture de la région Rhône-Alpes

Isabelle Desesquelles
et la résidence De Pure Fiction

Bibliothèque Denis-Diderot

Sylvain Trudel

Daniel Robitaille
Agence Paprika pour la mise en page

Marie-Laure Walckenaer
et

Brigitte Bouchard

11632

Composition
NORD COMPO
Achevé d'imprimer en Slovaquie
par NOVOPRINT SLK
le 18 février 2020

1er dépôt légal dans la collection : janvier 2017
EAN 9782290129463
OTP L21EPLN002003A002

ÉDITIONS J'AI LU
87, quai Panhard-et-Levassor, 75013 Paris

Diffusion France et étranger : Flammarion